Deu

Deutsche Geschichte

erzählt von Manfred Mai

Mit Bildern
von Julian Jusim

GULLIVER
von BELTZ & Gelberg

Für Daniela, Lisa, Melanie und Nina

Dieses Buch ist erhältlich als:
ISBN 978-3-407-75524-7 Print
ISBN 978-3-407-74144-8 E-Book (EPUB)

© 2010 Gulliver
in der Verlagsgruppe Beltz · Weinheim Basel
Werderstraße 10, 69469 Weinheim
Die vorliegende Ausgabe basiert auf der aktualisierten
Hardcover-Neuausgabe 2009
© 1999 Beltz & Gelberg
Neue Rechtschreibung
Einbandgestaltung: Max Bartholl
Einbandillustration: Julian Jusim
Gesamtherstellung: Beltz Grafische Betriebe, Bad Langensalza
Printed in Germany
11 12 13 14 15   21 20 19 18 17

Weitere Informationen zu unseren Autor_innen und Titeln
finden Sie unter: www.beltz.de

Inhalt

Inhalt

Vorwort

Die erste Ausgabe dieser Deutschen Geschichte wurde von ihren Lesern wie von der Fachkritik überaus positiv aufgenommen. Das hat mich sehr gefreut.

Zehn Jahre nach der Arbeit an der ersten Fassung scheint es mir nun zum zweiten Mal an der Zeit, ein paar Ergänzungen vorzunehmen. Dabei geht es vor allem darum, die wichtigsten Entwicklungen seit der deutschen Wiedervereinigung zu skizzieren. Weil gelegentlich das Fehlen eines Registers beklagt wurde, wird dies nun nachgeliefert. Es wird den Gebrauchswert des Buches erhöhen.

Sonst gilt weiterhin, was ich im »deutschen Jubiläumsjahr 1999« im Vorwort zur ersten Ausgabe schrieb:

Dass wir Deutsche nicht zwei Jubiläen in zwei Staaten feiern müssen, ist vor allem das Verdienst der Menschen im Osten unseres Landes. Im Herbst 1989 gingen Hunderttausende von ihnen auf die Straße und demonstrierten für Freiheit und Demokratie. Was noch wenige Wochen zuvor kaum jemand für möglich gehalten hätte, geschah am 9. November 1989: Die Grenze zwischen den beiden deutschen Staaten wurde geöffnet, und die Deutschen machten sich wieder einmal auf den Weg, ein Volk und ein Staat zu werden.

Das wiedervereinigte Deutschland hatte 1999 also doppelten Grund zum Feiern: Seinen fünfzigsten und seinen zehnten Geburtstag.

Runde Geburtstage werden gern genutzt, um Rückschau zu halten und Bilanz zu ziehen. Allerdings reicht es nicht, den Weg der beiden deutschen Staaten nur seit ihrer Gründung zu verfolgen, wenn man verstehen will, warum es überhaupt zwei Deutschland gab. Dazu muss man weiter zurückschauen, das heißt Geschichte betreiben. Und so, wie es für den Einzelnen interessant und wichtig ist zu wissen, wer seine Vorfahren sind und was er von ihnen mitbekommen hat, so ist es auch für ein Volk wichtig, über seine Geschichte Bescheid zu wissen. Denn unsere Geschichte ist unser Erbe, im Guten wie im Schlechten. Wir können dieses Erbe auch nicht ausschlagen oder ignorieren – selbst wenn wir das manchmal gern möchten.

Der große amerikanische Philosoph George Santayana hat einmal gesagt: »Wer sich an die Vergangenheit nicht erinnert, ist dazu verdammt, sie zu wiederholen.« Wenn dieser Satz stimmt, sind wir Deutsche geradezu verpflichtet uns zu erinnern, denn manches aus unserer Geschichte darf sich einfach nicht wiederholen.

Die Frage ist nun: Wie weit müssen wir zurückschauen, wo fängt die deutsche Geschichte an? Darauf gab und gibt es unterschiedliche Antworten.

Lange Zeit ließen Historiker die deutsche Geschichte mit Karl dem Großen beginnen. Heute erscheint uns das zu kurz gegriffen; ein paar Jahrhunderte mehr müssen es schon sein: In der Zeit um Christi Geburt lebten dort, wo später Deutschland entstand, Menschen, die »Germanen« genannt wurden. Diese Germanen waren noch kein Volk und verstanden sich selbst auch nicht so. Aber ihren Nachbarn und vor allem den Römern erschienen sie doch als zusammengehörig. Darum spricht einiges dafür, die deutsche Geschichte mit ihnen beginnen zu lassen.

Dieses Buch will einen ersten großen Überblick über die deutsche Geschichte geben. Es kann deshalb nur von den wichtigsten Ereignissen, Personen und Entwicklungen erzählen. Vieles, was auch noch wissenswert wäre, muss unerwähnt bleiben. Trotzdem wird zwischendurch immer wieder von den einfachen Menschen und ihrem oft gar nicht einfachen Leben berichtet. Denn auch sie haben ihren Teil dazu beigetragen, Deutschland zu dem zu machen, was es heute ist.

Die Anfänge

Um Christi Geburt waren große Teile »Germaniens« noch von Sümpfen und dichten Wäldern bedeckt. In dem dünn besiedelten Gebiet lebten die Menschen in Einzelhöfen oder kleinen Dörfern, oft mit ihren Tieren unter einem Dach. Die Germanen waren kein einheitliches Volk. Es gab zahlreiche Stämme mit verschiedenen Gebräuchen und Dialekten – von letzteren kann man bei einer Reise durch Deutschland heute noch Reste heraushören.

Der römische Geschichtsschreiber Tacitus schilderte unsere Vorfahren in seinem Buch *Über den Ursprung, die Lage und die Völkerschaften Germaniens*, später kurz *Germania* genannt, als »reinen, nur sich selbst gleichen Menschenschlag von eigener Art. Daher ist auch die äußere Erscheinung trotz der großen Zahl von Menschen bei allen dieselbe: wild blickende blaue Augen, rötliches Haar und große Gestalten, die allerdings nur zum Angriff taugen. Für Strapazen und Mühen bringen sie nicht dieselbe Ausdauer auf, und am wenigsten ertragen sie Durst und Hitze; wohl aber sind sie durch Klima oder Bodenbeschaffenheit gegen Kälte und Hunger abgehärtet ... Ihre Dörfer legen sie nicht in unserer Weise an, dass die Gebäude verbunden sind und aneinanderstoßen: Jeder umgibt sein Haus mit freiem Raum, sei es zum Schutz gegen Feuergefahr, sei es aus Unkenntnis im Bauen. Nicht einmal Bruchsteine oder Ziegel sind bei ihnen im Gebrauch; zu allem verwenden sie unbehauenes Holz, ohne auf ein gefälliges oder freundliches Aussehen zu achten ... Wenn die Männer nicht zu Felde ziehen, verbringen sie viel Zeit mit Jagen, noch mehr mit Nichtstun, dem Schlafen und

Essen ergeben. Gerade die Tapfersten und Kriegslustigsten rühren sich nicht. Die Sorge für Haus, Hof und Feld bleibt den Frauen, den alten Leuten und allen Schwachen im Hauswesen überlassen; sie selber faulenzen. Ein seltsamer Widerspruch ihres Wesens: Dieselben Menschen lieben so sehr das Nichtstun und hassen zugleich die Ruhe.«

Da von den Germanen selbst nur bruchstückhaftes Wissen überliefert wurde, sind wir auf solche Beschreibungen angewiesen. Dabei sollte man allerdings bedenken, dass Tacitus das Leben der Germanen mit ihren Sitten und Gebräuchen nicht aus eigener Anschauung kannte. Er bezog seine Kenntnisse aus literarischen Quellen, zum Beispiel aus Cäsars Schriften über den Gallischen Krieg.

Was Tacitus zu seinem Buch veranlasste, lässt sich heute nicht mehr mit Sicherheit sagen. Vermutlich sollte die Schilderung des einfachen Lebens ohne Luxus, des sittenstrengen Familienlebens, der Treue und Tapferkeit den Römern als Vorbild dienen. So wäre auch zu erklären, dass er die Germanen in einigen Punkten heftig idealisiert hat; das betrifft in jedem Fall seine Beschreibung eines einheitlichen, großen und blauäugigen Menschentyps – auch wenn man das in der späteren deutschen Geschichte gern anders las.

Als sicher gilt heute, dass die Germanen gute Krieger waren. Trotzdem unterlagen sie etwa fünfzig Jahre vor Christi Geburt den besser ausgebildeten und ausgerüsteten römischen Soldaten. Die hatte Cäsar über die Alpen geführt, um das Römische Weltreich zu vergrößern und noch mächtiger zu machen.

Alle germanischen Stämme westlich des Rheins und

ganz Gallien (das spätere Frankreich) wurden unterworfen und Teil des Römischen Reichs.

Etwa sechzig Jahre nach Cäsar wollte Kaiser Augustus (das deutsche Wort »Kaiser« kommt von Cäsar, dessen Familienname zum Titel für die Herrscher des Römerreiches wurde) auch die germanischen Stämme weiter im Osten unterwerfen und seine Macht bis zur Elbe ausdehnen. Aber diesmal wehrten sich die Germanen mit allen Kräften – und schlugen zurück. Im Jahr 9 n. Chr. besiegten sie unter ihrem Heerführer Arminius (später Hermann der Cherusker genannt) in der Schlacht im Osnabrücker Land – nicht im Teutoburger Wald, wie man lange Zeit dachte – die römischen Truppen. Die Römer mussten sich wieder hinter den Rhein zurückziehen.

In den Jahren danach gab es immer wieder Kämpfe mit den Germanen. Als Bollwerk gegen sie errichteten die Römer den Limes, einen riesigen Grenzwall vom Rhein bei Bonn bis zur Donau bei Regensburg.

Jenseits des Limes lebten die Germanen weiterhin wie ihre Vorfahren. Über wichtige Angelegenheiten entschieden die freien Männer eines Stammes. Dazu trafen sie sich bei Neu- oder Vollmond zum »Thing«. Die Thingstätte war gleichzeitig Gerichtsplatz und galt als heiliger Ort.

Wie alle heidnischen Völker verehrten die Germanen viele Götter. Als höchster Gott galt Wodan, der nach germanischer Auffassung die Welt regierte und das Schicksal aller Menschen lenkte. Die Germanen glaubten fest an ein Leben nach dem Tod. Die Tapferen stiegen auf zu Wodan nach Walhalla, wo sie ein schönes Leben erwartete. Die feigen und schlechten Menschen mussten im Reich der Göttin Hel in ewiger Finsternis schmachten.

Die Völker mischen sich

Die Menschen im Römerreich und die germanischen Stämme lebten trotz aller Unterschiede lange Zeit in friedlicher Nachbarschaft. In den besetzten Gebieten waren viele Germanen vom Lebensstil der Römer bald so beeindruckt, dass sie wie die Römer zu leben versuchten. Wer es sich leisten konnte, schickte seine Söhne in römische Schulen. In Kleidung und Umgangsformen orientierte man sich am römischen Vorbild. Streitigkeiten wurden nach römischem Recht geregelt. Nach und nach entstanden römische Provinzstädte wie Trier, Worms, Köln, Mainz und Augsburg. Zentrum dieser Städte war das Forum, ein großer, von Gebäuden umgebener Platz, auf dem politische Versammlungen und Gerichtsverhandlungen stattfanden. Auch Werkstätten, Läden, Gasthäuser und öffentliche Bäder gehörten zum Stadtbild. Manche Gebäude und Wasserleitungen (Aquädukte) sind heute noch erhalten und zeugen von der hohen Baukunst jener Zeit. Allerdings sollte man bei der Bewunderung dieser Leistungen nicht vergessen, dass vieles nur durch die Ausbeutung der unterworfenen Völker, vor allem der unteren Schichten, möglich wurde. Die einfachen Menschen lebten mehr schlecht als recht und waren der Willkür der Reichen und Mächtigen oft schutzlos ausgeliefert.

Mit den germanischen Stämmen jenseits des Limes gab es regen Handel. Und viele junge Germanen dienten sogar als Soldaten in der römischen Armee. So lernten auch sie die römische Kultur und Lebensweise kennen.

Doch im dritten Jahrhundert zogen Alemannen, Sachsen, Franken, Sweben, Vandalen und Gepiden aus dem

Norden Europas nach Süden und Westen. Niemand kann genau sagen, weshalb es zu dieser Völkerwanderung kam. Klimaveränderungen, zu wenig fruchtbares Land, Überfälle durch andere Stämme und die Hoffnung, anderswo bessere Lebensbedingungen zu finden, mögen wichtige Gründe gewesen sein. Eine Zeit lang konnten die römischen Truppen die »Barbaren«, wie sie alle nicht-römi-

Die »Porta nigra«, das »schwarze Tor«, in Trier ist eines der römischen Bauwerke auf deutschem Boden, die bis heute erhalten sind. Der Zeichner hat einen römischen Legionär und einen Germanen davorgestellt – so hätten sich die beiden dort begegnen können.

schen Völker und also auch die Germanen nannten, abwehren. Aber letztlich waren die Germanen stärker und drangen in das Römische Reich ein. Sie wollten es jedoch nicht zerschlagen, sondern seine Errungenschaften für sich nutzen. So mischten sich römische Kultur und Lebensart langsam mit germanischen Sitten und Gewohnheiten.

Germanische Stämme beherrschten nun weite Teile Europas. Aber sie waren untereinander keineswegs einig. Vor allem der gerissene und skrupellose Frankenfürst Chlodwig gab keine Ruhe. Durch List, Verrat und Mord schaffte er nach und nach andere Stammesfürsten aus dem Weg. Auf diese Weise wurde er immer mächtiger, ließ sich zum König machen und eroberte mit seinen Soldaten die Gebiete der Alemannen, Burgunder, Westgoten und ganz Gallien. So entstand um 500 n. Chr. das große Frankenreich, aus dem später Frankreich und Deutschland hervorgingen.

Im Nachhinein scheint es, als wären die Menschen und Völker jener Zeit dauernd in Bewegung und auf der Suche nach Neuem gewesen. Auch in Glaubensfragen gab es große Veränderungen. Die Lehre von Jesus Christus verbreitete sich in Europa. Römer und Germanen glaubten zwar noch an ihre alten Götter, wollten von einem neuen Gott nichts wissen und verfolgten die ersten Christen. Doch die Botschaft des Mannes aus Nazareth übte bald eine große Anziehungskraft auf die Menschen aus. Und schon im 4. Jahrhundert wurde das Christentum zur offiziellen Religion im Römischen Reich.

So schnell ging es bei den germanischen Stämmen nicht; sie hielten noch lange an ihren Göttern fest. Selbst als Chlodwig sich taufen ließ und das auch vom ganzen Volk verlangte, konnte von einer Glaubenswende keine Rede sein. Die heidnischen Sitten, Bräuche und Vorstellungen lebten noch zweihundert Jahre neben christlichem Gedankengut fort.

Die endgültige Christianisierung des Frankenreichs gelang erst durch den Mönch und späteren Bischof Bonifatius. Der Angelsachse kam im Jahr 716 aus England, um die Friesen zu missionieren. Drei Jahre später beauftragte ihn der Papst mit der Germanenmission. Im Lauf der Zeit wurde aus dem Missionar ein kirchlicher Organisator, der Klöster gründete und die Bistümer neu ordnete. Im Alter von 80 Jahren kehrte Bonifatius noch einmal zur Friesenmission zurück. Am 5. Juni 754 wurde er von heidnischen Friesen erschlagen.

Machtwechsel

Im Geschlecht der Merowinger, aus dem Chlodwig stammte, kam es öfter zur Erbstreitigkeiten. Überhaupt waren die Merowinger wohl keine besonders guten Könige. Man sagte von ihnen, dass sie nicht viel mehr konnten als auf dem Thron sitzen und mit Mühe die Reden halten, die ihnen ihre Minister eingetrichtert hatten. Die letzten dieser Könige waren so schwach, dass an ihrer Stelle praktisch der höchste Beamte im Reich, der »Hausmeier«, regierte. Einer dieser Hausmeier hieß Karl und herrschte 25 Jahre lang mit starker Hand über das Frankenreich, weshalb er den Beinamen »Martell«, das heißt »Hammer«, erhielt.

Nachdem es einem großen arabischen Heer gelungen war, über die Pyrenäen in das Frankenreich einzudringen, marschierte ihm Karl Martell mit seiner Armee entgegen. Bei Tours und Poitiers siegte die fränkische Armee im Oktober 732 und drängte die Araber wieder über die Pyrenäen zurück. Dieser Sieg war für die weitere Geschichte Europas von großer Bedeutung. Die Ausbreitung des Islam war damit gestoppt und blieb auf das »Morgenland« beschränkt. Im »Abendland« ging die Christianisierung weiter, weshalb Karl Martell auch als »Retter des Abendlandes« gefeiert und geehrt wurde.

Karls Sohn Pippin wollte nicht mehr nur als Hausmeier regieren, er wollte König werden – und er wusste auch, wie. Weil die Kirche und ihr Oberhaupt bei den Franken hoch angesehen waren, suchte Pippin für sein Vorhaben die Unterstützung des Papstes. Er ließ in Rom anfragen, ob es eigentlich gut und richtig sei, dass jemand König genannt werde, der in Wirklichkeit gar keine königliche Macht mehr besitze. Der Papst antwortete, es sei besser, den als König zu bezeichnen, der die Macht habe.

Nach diesem Spruch des Papstes wurde der Merowingerkönig Childerich III. in ein Kloster verbannt und Pippin von den Adligen zum König ausgerufen. Damit war die Herrschaft der Merowinger auch formal zu Ende.

Pippin wollte dem neuen Königsgeschlecht der Karolinger von Anfang an eine zusätzliche Sicherung geben. Deshalb ließ er sich im November 751 von den Bischöfen des Reiches mit geweihtem Öl salben. Diese Salbung machte ihn zum christlichen König, ja zum König von Gottes Gnaden. Damit hat Pippin Politik, Religion und Kirche erstmals in der Geschichte in einer Weise verbunden, die für fast alle deutschen Könige und Kaiser bis in unser Jahrhundert richtungsweisend war. Seit Pippin erhoben sie den Anspruch, ihr Amt von Gott zu haben und nach göttlichem Recht zu handeln.

Karl der Große

Auch wer nur wenig von der Geschichte des Mittelalters weiß, hat bestimmt einen Namen und eine Zahl im Kopf: Karl der Große und das Jahr 800, in dem er zum Kaiser ge-

Wir wissen nicht wirklich, wie Karl der Große ausgesehen hat – den Künstlern seiner Zeit kam es nicht auf die realistische Darstellung eines Herrschers an, sondern darauf, ihn in seiner herrschaftlichen Größe zu zeigen. So wie hier kennen wir Karl von einem bronzenen Reiterstandbild; der Zeichner hat ihn absteigen lassen und auf seinen Thron gesetzt, den man in Aachen heute noch besichtigen kann.

krönt wurde. »Vater Europas« und »Beschützer der Christenheit« wird Karl der Große auch heute noch genannt.

Begonnen hat Karls Karriere, als er nach dem Tod seines Bruders Karlmann im Jahr 771 Alleinherrscher über das Frankenreich wurde. Wie die meisten Könige vor und nach ihm führte er viele Kriege, über die hier nicht im Einzelnen berichtet werden soll. Karls Ziel war von Anfang an, alle Germanen in sein Reich zu holen – es fehlten ihm noch die Langobarden, Bayern und Sachsen. Die beiden ersten unterwarf Karl ohne Probleme. Aber die Sachsen wehrten sich 32 Jahre mit allen Mitteln. Schließlich wurden sie doch besiegt und mussten den christlichen Glauben annehmen.

Damit hatte Karl sein Ziel erreicht: Zum ersten Mal in der Geschichte waren alle germanischen Stämme, die später zum deutschen Volk zusammenwuchsen, in einem Reich vereint. Das allein hätte für manche schon ausgereicht, ihn »der Große« zu nennen. Doch zu einem großen König gehört mehr, als Kriege zu gewinnen.

Nach allem, was wir heute wissen, verstand sich Karl als eine Art Vater seiner großen Völkerfamilie und kümmerte sich mehr als andere Könige um die Sorgen und Nöte des einfachen Volkes, das ein armseliges Leben führte. Er regierte nicht von einer Hauptstadt aus, sondern reiste oft durch das Reich, um sich selbst ein Bild von den Zuständen zu machen. Dafür gab es überall so genannte »Pfalzen«, Paläste, in denen der König Hof hielt. In manchen Pfalzen blieb er nur wenige Tage, in anderen viele Monate. Karls Lieblingspfalz war Aachen, wo er 814 starb und begraben wurde.

Trotz der vielen Reisen kam Karl in manche Gebiete des riesigen Reiches höchstens alle paar Jahre. Deswegen ließ er sich von überall her berichten und bestimmte dann, was zu geschehen hatte. Dabei regelte er auch kleinste Angelegenheiten wie den Verkauf von Feldfrüchten, Federvieh und Eiern.

Er ließ Wald roden, um mehr Ackerland für die Bauern zu schaffen, und führte die »Dreifelderwirtschaft« ein, die schonender mit dem Ackerboden umging und zu besseren Ernten führte.

Auch die Bildung lag Karl am Herzen. Er ließ Kloster- und Domschulen einrichten, in denen Kinder von freien Bauern und Handwerkern in Religion, Lesen und Schreiben unterrichtet wurden. Er selbst beschäftigte sich mit allen Wissenschaften, mit Kunst und Literatur und war immer bemüht, Neues zu lernen.

Karl sah sich jedoch nicht nur als Vater der Menschen im Frankenreich, sondern auch als Schutzherr aller Christen. Als er am Weihnachtsabend des Jahres 800 in Rom einen Gottesdienst besuchte, setzte ihm der Papst, dem Karl schon mehrfach gegen Angreifer geholfen hatte, eine Krone auf. Dann fiel er auf die Knie und rief: »Karl dem Erhabenen, dem von Gott gekrönten großen und Frieden schaffenden Kaiser der Römer, Leben und Sieg!«

Karl soll sehr erschrocken sein und später gesagt haben, dass er die Kirche nie betreten hätte, wenn er von der Absicht des Papstes gewusst hätte. Aber so wurde er der erste deutsche Kaiser des Mittelalters und gleichzeitig der weltliche Führer der Christenheit.

Dass Karl wirklich ein großer König und Kaiser war, zeigte sich nach seinem Tod noch deutlicher als zu seinen Lebzeiten.

Deutschland nimmt Gestalt an

So merkwürdig es klingen mag: Für die Karolinger war es leichter gewesen, das Frankenreich zusammenzuerobern als es zu regieren und zu verwalten. Bei den damaligen Verkehrswegen dauerte es Wochen, ja Monate, bis Anordnungen des Kaisers überall im Reich bekannt waren. Ein großer Kaiser, wie Karl es war, konnte das Reich dank seiner Autorität noch zusammenhalten. Aber diese Autorität besaß sein Sohn Ludwig der Fromme nicht. Schon zu Ludwigs Lebzeiten begannen seine drei Söhne um das Erbe zu streiten. Zwei von ihnen – Karl der Kahle und Ludwig der Deutsche – verbündeten sich gegen Lothar, ihren älteren Bruder. Im Straßburger Eid von 842 schworen sie sich vor ihren Heeren die Treue. Dieser Eid musste den Soldaten Karls in Altfranzösisch, denen Ludwigs in Altgermanisch vorgelesen werden, damit sie ihn verstehen konnten. Das zeigt, dass Westfranken von Ostfranken auch durch eine Sprachgrenze getrennt war. Die Menschen in den verschiedenen Teilen des großen Frankenreiches verstanden einander nicht.

Nach dem Tod Ludwigs des Frommen erhielt Karl den westlichen, Ludwig den östlichen Teil des Reiches und Lothar das Land in der Mitte. Als Lothars Geschlecht ausstarb, fielen große Teile dieses Mittelstückes an West- und Ostfranken. Damit war der Kernbereich Europas geteilt, und die entstandene Grenze blieb für 800 Jahre fast unverändert.

Anfangs hielten trotz der Teilung alle noch an der Idee von der Einheit des karolingischen Reiches fest. Aber mit dem Aussterben der Karolinger im 10. Jahrhundert fielen die beiden Teile endgültig auseinander. Und mit der Wahl des Sachsen Otto I. durch die ostfränkischen Stammesfürsten zu ihrem König begann im Jahr 936 endgültig die deutsche Geschichte, auch wenn von Deutschland oder einem Deutschen Reich noch keine Rede war.

Die mittelalterliche Ordnung

Mit Otto I. saß 150 Jahre nach Karl dem Großen wieder ein starker Herrscher auf dem Thron. Ihm gelang es, die Macht der Stammesherzöge einzuschränken und die Macht des Königshauses wieder zu festigen. Wesentlich dazu beigetragen hat der Sieg über die Ungarn, die mehrfach mit Reiterheeren aus dem Osten zu Raubzügen ins Reich eingedrungen waren. Im Jahr 955 schaffte es Otto I. mit seinem Heer, die Ungarn in der Schlacht auf dem Lechfeld bei Augsburg so entscheidend zu schlagen, dass sie sich nie mehr so weit vorwagten. Damals soll ihm der Beiname »der Große« gegeben worden sein.

Sieben Jahre später wurde er vom Papst in Rom zum Kaiser gekrönt und galt damit als Nachfolger Karls des Großen. Von nun an waren die deutschen Könige wieder Römische Kaiser und Schutzherren der Christenheit. Ihnen gehörte das Land von Italien bis zur Nordsee, vom Rhein bis zur Elbe. Immer noch war die Sicherung und Verwaltung eines so großen Reiches nicht einfach. Für beides war der Kaiser auf Hilfe angewiesen. Er suchte sich geeignete Gefolgsleute, die ihm mit Rat und Tat zur Seite standen und dafür belohnt wurden. »Vasallen« nannte man diese Gefolgsleute, und der Kaiser bezahlte sie nicht mit Geld, sondern mit Landgütern. Die bekamen sie allerdings nicht als Eigentum, sondern nur geliehen. Solche Landgüter nannte man »Lehen«, die Vasallen waren Lehnsmänner des Kaisers. Viele Lehen waren so groß, dass die Besitzer selbst wieder Lehnsmänner brauchten, so genannte Untervasallen. Und selbst die konnten wieder Vasallen haben.

Mit der Zeit bildete sich eine Lehnsordnung heraus, die genau festlegte, wer wessen Lehnsherr sein durfte. Als direkte Lehnsmänner des Kaisers kamen nur die höchsten weltlichen und geistlichen Adligen in Frage. Diese Reichsfürsten konnten Lehen an Grafen und Freiherren vergeben und die wieder an Ritter und hohe Beamte.

Als Lehen konnten nicht nur Land samt allen darauf lebenden Bauern vergeben werden, sondern auch Herrschaftsrechte des Kaisers wie Gerichts-, Markt-, Zoll- und Münzrechte. Lehnsherr und Lehnsmann schworen sich gegenseitig einen Treueeid: »Deine Feinde sind meine Feinde, deine Freunde sind meine Freunde. Ich will dir allzeit treu zugetan und gegenwärtig sein, wenn du mich brauchst.«

Ursprünglich erhielten Vasallen ihr Lehen nur auf Lebenszeit, aber im Lauf der Zeit wurde es üblich, Lehen an die Erstgeborenen weiterzugeben – sie wurden erblich und damit der Verfügungsgewalt des Kaisers entzogen. Das trug langfristig zur Stärkung der Reichsfürsten bei.

Die mittelalterliche Ordnung in Staat und Gesellschaft beruhte auf dem Lehensprinzip. Weil das lateinische Wort für Lehen »feudum« heißt, sprechen wir von einer Feudalordnung. Welche Stellung jemand in der mittelalterlichen

Gesellschaft einnahm, war bestimmt durch den Stand, in den er hineingeboren wurde. Das Standesdenken war stark ausgeprägt. Die verschiedenen Stände unterschieden sich nicht nur in ihrem Ansehen und ihrem Vermögen, sondern auch in ihrer Kleidung voneinander. Man kleidete sich »anständig«, also so, wie es nach festgelegten Regeln für die einzelnen Stände vorgeschrieben war. Den Bäuerinnen war es zum Beispiel verboten, eng anliegende, ausgeschnittene Kleider, Pelze oder teuren Schmuck zu tragen, auch wenn sie es sich leisten konnten. Diese Dinge waren adligen Damen und reichen Bürgerinnen vorbehalten.

Vom Leben des »gemeinen Volkes«

Zur Zeit Karls des Großen lebten auf dem Gebiet Deutschlands etwa 4 Millionen Menschen, die allermeisten davon als Bauern. Viele besaßen eigenes Land, waren frei und hatten das Recht, Waffen zu tragen. Damit waren sie auch verpflichtet, mit dem König in den Krieg zu ziehen. Weil der König viele Kriege führte, waren die Bauern oft nicht auf ihren Höfen, wenn es Zeit gewesen wäre, zu säen und zu ernten – und viele kamen nie mehr nach Hause.

Um der Kriegspflicht zu entgehen, unterstellten sich freie Bauern den Adligen, Bischöfen und Klöstern. Diese übernahmen dann für ihre Bauern die Kriegspflicht, schützten sie auch vor Überfällen und halfen ihnen in Notzeiten. Das taten die neuen Herren natürlich nicht umsonst. Die Bauern mussten ihnen dafür ihren Besitz übergeben. Zwar durften sie das Land weiter bewirt-

schaften, mussten aber einen Teil der Ernte und regelmäßig Fleisch, Käse, Milch und Eier abliefern. Außerdem
mussten die Bauern »Frondienste« leisten, das heißt ohne
Lohn auf den Wiesen und Feldern ihres Herrn mitarbei-
ten. Sie mussten Wege anlegen, Brücken bauen und beim
Bau von Burgen und Schlössern mithelfen. Sie konnten

**Die Grundherrschaft: Der Grundherr besitzt Grund und Boden und alle
Sachen darauf, zu denen auch die Leibeigenen zählen. Er hat die Ge-
richtsbarkeit über seine Grundhörigen, denen er Land zur Bewirtschaf-
tung überlässt, wofür sie ihm Dienste und Abgaben schulden. Der
Grundherr garantiert dafür Schutz.**

auch nicht einfach wegziehen, denn sie gehörten zu dem Land, das sie bebauten. Deswegen nannte man sie »Hörige«. Der Grundherr durfte ihnen zwar alles befehlen, aber vom Hof vertreiben oder verkaufen durfte er die Hörigen nicht, denn sie waren nicht sein Eigentum.

Anders sah die Sache bei den »Leibeigenen« aus. Nach germanischer und römischer Überlieferung galten sie nicht als Personen, sondern als Sachen. Sie waren völlig rechtlos und wurden nicht besser behandelt als das Vieh. »Wenn ich das nicht erfülle oder mich Eurem Dienst irgendwie entziehen will, sollt Ihr das Recht haben, mich nach Gutdünken zu bestrafen, zu verkaufen oder sonst mit mir zu tun, was Ihr wollt«, heißt es in einer Schwurformel zwischen Leibherr und Leibeigenem.

Um das Jahr 1000 gab es nur noch wenige freie Bauern und den meisten von ihnen ging es nicht besser als den Hörigen. Ob frei, hörig oder leibeigen, das »gemeine Volk« wurde von den höheren Ständen verachtet. Davon zeugen Sprüche wie: »Der Bauer und sein Stier, sind zwei grobe Tier«; oder: »Der Bauer ist an Ochsen statt, nur dass er keine Hörner hat.« Dabei trugen die Bauern alle anderen Stände sozusagen auf ihren Schultern.

Die Bauern lebten zusammen in kleinen Dörfern, die 20 bis 30 Höfe umfassten. Jeder war auf die Mithilfe des anderen angewiesen, deshalb wurden die wichtigsten Arbeiten miteinander geplant und ausgeführt. Vor allem das Roden der Wälder konnte nur gemeinsam geschafft werden. Daran hatten die Bauern und der Grundherr ein großes Interesse. Denn mehr Land für Ackerbau und Viehzucht bedeutete zwar noch mehr Arbeit, aber auch mehr Einkommen. Die landwirtschaftliche Nutzfläche war in drei Hauptflächen aufgeteilt, an denen jeder Bauer seinen Anteil hatte. Auf einem Teil wurde Sommergetreide, auf einem Wintergetreide angebaut. Der dritte Teil blieb ein Jahr unbebautes Brachland, damit sich der Boden wieder erholen konnte. Diese Dreifelderwirtschaft hatte seit der Zeit Karls des Großen nach und nach die alte Zweifelderwirtschaft abgelöst.

Um das Ackerland zog sich die »Allmende«. Das waren Wälder und Wiesen, die der Allgemeinheit gehörten und von allen Dorfgenossen genutzt wurden. Auf den Weiden weidete das Vieh, die Wälder lieferten Bau- und Brennholz. Zur Allmende gehörten auch Bäche, Flüsse und Seen.

Die Arbeitszeit wurde durch die Jahreszeit bestimmt. Im Sommer standen die Bauern zwischen vier und fünf Uhr auf. Die erste Mahlzeit nahmen sie erst zwischen neun und zehn ein, die zweite am späten Nachmittag. Gegessen wurden vor allem Suppen, Hafer-, Mehl- und Hirsebrei, dazu gab es Brot aus Roggenmehl, Gemüse, Eier, Käse und Milchspeisen. Seltener kamen Fisch oder Huhn auf den Tisch und im Winter schlachtete man ein Schwein. Manchmal fing man mit Schlingen oder Fallen einen Hasen oder ein Reh, bis das im 14. Jahrhundert von den Grundherren verboten wurde. Zu trinken gab es Wasser und Milch. Sobald es dunkel wurde, ging man schlafen, denn Öl für Lampen war teuer.

Wohnraum und Stall waren zwar getrennt, lagen aber unter einem Dach. In den meisten Bauernhäusern bestand der Wohnbereich nur aus einem einzigen Raum. Darin standen ein Tisch, ein paar Bänke an den Wänden, dreibeinige Hocker und manchmal ein Bettgestell. Meistens wurde auf Strohsäcken geschlafen. Wenn am Morgen das

Tageslicht durch die mit Weidengeflecht oder Schweinsblasen nur notdürftig verschlossenen Fensterlöcher fiel, begann für die Familie wieder ein harter Arbeitstag. Auch die Kinder mussten schon kräftig mithelfen. Sie trugen die gleichen Kleider wie die Erwachsenen, arbeiteten wie die Erwachsenen und führten das gleiche Leben. Es gab auch keine Schulen, wie wir sie heute kennen. Bildung war Adligen oder wohlhabenden Bürgern vorbehalten, die in Universitäten, Klöstern oder von Privatlehrern unterrichtet wurden. Deshalb konnten die Bauern weder lesen noch schreiben.

Sehr früh wurden Ehen geschlossen. Mädchen wurden oft schon mit 13 Jahren verheiratet. Eine Vorschrift des Klosters Weitenau im Schwarzwald besagte zum Beispiel, dass der Probst »jeder Frau des Klosters, die 14 Jahre alt ist, bei Strafe von einem Pfund gebieten soll, einen Mann zu nehmen«. Für die Männer wurde das Heiratsalter auf 18 bis 20 Jahre festgesetzt. Dies wurde so strikt geregelt, weil die Grundherren die Zahl ihrer Untertanen vergrößern oder wenigstens halten wollten. Ehepaare bekamen durchschnittlich sechs bis acht Kinder, von denen jedes Vierte schon im ersten Lebensjahr starb. Viele Kinder wurden nicht einmal zehn Jahre alt.

Auch viele Frauen starben sehr früh, weil die zahlreichen Schwangerschaften und die schwere Arbeit sie schwächten und für Krankheiten anfällig machten.

Die große Mehrheit der Menschen führte also ein beschwerliches Leben in Armut und Unwissenheit. Daran änderte sich bis ins 15. Jahrhundert so gut wie gar nichts und bis ins 18. Jahrhundert nicht viel, egal welcher König oder Kaiser gerade regierte.

Macht Stadtluft frei?

Vor tausend Jahren gab es in Deutschland etwa 200 Städte. Das waren natürlich keine Städte, wie wir sie kennen. Die meisten hatten nicht einmal tausend Einwohner. Neben den alten Römerstädten wie Trier, Worms, Köln und Mainz entstanden neue. Weil der Handel mit Gütern aus nah und fern zunahm, brauchten die Händler sichere Plätze, wo sie ihre Waren lagern und anbieten konnten. Deswegen wuchsen viele neue Siedlungen an Kreuzungen wichtiger Handelswege, an Flussübergängen und Häfen. Auch in der Nähe von Burgen und Klöstern wuchsen Siedlungen, die zu Städten wurden.

Das Zentrum einer Stadt war ihr Marktplatz, auf dem Kaufleute, Handwerker und Bauern ihre Waren anboten. Wer seine Waren auf dem Markt verkaufen wollte, musste an den Stadtherrn (König, Herzog, Bischof, Graf) zuvor etwas bezahlen. Marktgebühren und Zölle wurden zu neuen Einnahmequellen für die Stadtherren. Deshalb waren sie sehr daran interessiert, ihre Städte für Kaufleute und Handwerker attraktiv zu machen. Zum Schutz des Marktes und der Bürger wurde um die Stadt herum eine Mauer gebaut.

Um den Handel besser organisieren zu können, schlossen sich die Kaufleute zu so genannten »Gilden« zusammen. Und was für die Kaufleute die Gilden, waren für die Handwerker die »Zünfte«. Die Zunftordnung regelte für jedes Handwerk die Rechte und Pflichten der Meister, Gesellen und Lehrlinge. Auch was in welcher Anzahl und Qualität hergestellt werden durfte, bestimmten nicht die einzelnen Meister, sondern die Zünfte. Ebenso die Preise und Löhne. Die Zünfte wachten streng über die Einhaltung ihrer Regeln. Und sie gewannen bald auch großen Einfluss auf die Stadtpolitik. Reiche Handwerksmeister und wohlhabende Kaufleute wurden zu einer Art neuen Adelsschicht, die man »Patrizier« nannte. Für sie galt der Satz »Stadtluft macht frei« tatsächlich. Formal galt er für alle Bürger einer Stadt. Anders als die meisten Bauern waren sie persönlich frei, das heißt, sie konnten Wohnung und Beruf frei wählen, konnten heiraten, wen sie wollten, über ihren Besitz frei verfügen, ihn vermehren oder verkaufen – wenn sie welchen hatten! Denn die meisten Menschen in der Stadt hatten kaum mehr, als sie zum Leben brauchten. Die städtische Freiheit hat die Unterschiede zwischen Reich und Arm nicht beseitigt. Neben den wohlhabenden Kaufmannsfamilien und reichen Handwerksmeistern gab es viele arme Handwerksgesellen, Knechte und Mägde. Sie wohnten oft im Haus ihrer Herren und Meister und hatten zu tun, was man ihnen befahl. Sie waren tatsächlich kaum freier als hörige Bauern.

Die prächtigen Häuser der Patrizier standen meistens in der Nähe des Marktplatzes. Etwas abseits davon wurden die Gassen enger, die Häuser einfacher und schmuckloser. Da der Platz in den Städten bald knapp wurde, baute man die Häuser höher. Im Erdgeschoss befanden sich die Arbeitsräume, im ersten Stock Wohn- und Schlafzimmer. Unter dem Dach hatten Lehrlinge und Gesinde ihre Schlafstätten, die oft nur aus einem Strohlager bestanden. Die Nahrung der einfachen Menschen in der Stadt unterschied sich kaum von der der Bauern. Die meisten waren froh, wenn sie jeden Tag satt wurden. Nur die wohlhabenden Bürger konnten sich regelmäßig Mahlzeiten mit Fleisch, Fisch, Gemüse, Salaten und dazu Wein leisten.

Eine Gruppe von Menschen lebte in den Städten isoliert: die Juden. Ihre eigene Religion, ihre Sitten und Gebräuche trennten sie von den Christen. Als Nichtchristen waren sie im Grunde rechtlos. Aber seit der Karolingerzeit standen sie unter dem besonderen Schutz des Königs – den sie allerdings bezahlen mussten. Das war für sie meistens kein Problem, denn es gab viele reiche Juden. Deren Reichtum aber weckte den Neid der Nichtjuden. Und dass sie im Gegensatz zu den Christen für ausgeliehenes Geld Zinsen nehmen durften, auch Wucherzinsen, steigerte die Abneigung vieler Christen noch.

Die Kirche trat für eine strenge Isolierung der Juden von der christlichen Bevölkerung ein. Juden durften keine Christen heiraten, keine Grundstücke kaufen, kein Handwerk ausüben, nicht in der Verwaltung arbeiten und mussten in eigenen Vierteln, den »Gettos«, wohnen. Hier stand die Synagoge, hier predigte der Rabbiner und hier lag auch der Judenfriedhof.

Aus dem Jahr 1215 stammt eine Verordnung, nach der sich Juden durch eine besondere Kleidung als Juden kenntlich machen mussten. Man zwang sie, einen spitzen Hut zu tragen und einen gelben Fleck auf ihre Kleider zu nähen. Und schon im Mittelalter kam es immer wieder zu Ausschreitungen gegen Juden, zu Verfolgungen und Mord.

So frei, wie seit Jahrhunderten behauptet und erzählt wird, machte die Stadtluft also keineswegs. Und weil in den Städten viele Leute auf engem Raum zusammenlebten, waren die hygienischen Verhältnisse oft schlechter als in den Dörfern. In den Straßen und Gassen lag allerlei Unrat, das Trinkwasser war schmutzig, die Lebensmittel oft verdorben, was zu Krankheiten und Seuchen führte. Manchmal starben ein Viertel und mehr der Einwohner einer Stadt an solchen Seuchen, vor allem an der Cholera und am »schwarzen Tod«, der Pest.

Nach zwei Kapiteln über das Alltagsleben im Mittelalter handelt das folgende wieder von der großen Politik. Die mittelalterlichen Menschen waren von dieser Politik zwar betroffen, aber anders als die Menschen heute gestalteten sie sie nicht mit. Oft nahmen sie das politische Geschehen überhaupt erst dann wahr, wenn sie, wie in Kriegszeiten, Opfer wurden.

Wer ist der Höchste im Land?

Seit Otto I. gab es wieder einen »Römischen Kaiser«, der sich als Schutzherr und weltlicher Führer der Christenheit sah. Gleichzeitig beanspruchte der Papst in Rom die Rolle des geistlichen Führers. Während die Ottonen, wie das Geschlecht nach ihrem bedeutendsten Vertreter Otto I. genannt wurde, auf dem Thron saßen, gab es keine ernsthaften Probleme zwischen Papst und Kaiser. Auch als im Jahre 1024 das Geschlecht der Salier die Ottonen ablöste, änderte sich daran nichts. Die Autorität der Ottonen und der ersten Salier-Kaiser war so groß, dass sie Äbte und Bischöfe ihres Vertrauens einsetzen konnten. Heinrich III. ging sogar noch weiter: Er setzte drei Päpste ab und ersetzte sie durch deutsche Bischöfe. In den siebzehn Jahren seiner Regentschaft saßen fünf Deutsche auf dem Heiligen Stuhl in Rom. Alle fünf sind jedoch früh gestorben, und schon Zeitgenossen munkelten, es sei mit Gift nachgeholfen worden.

Vielen Geistlichen ging der Einfluss der weltlichen Herrscher auf die Kirche schon lange zu weit. Als Heinrich III. mit erst 39 Jahren starb und ihm sein minderjähriger Sohn Heinrich IV. nachfolgte, sahen diese Geistlichen eine große Chance zum Handeln. Sie setzten durch, dass der Papst ohne Einmischung des Kaisers von sieben Kardinälen gewählt wurde.

Im Jahr 1075 verlangte der neue Papst Gregor VII. noch mehr: Nur der Papst dürfe Bischöfe einsetzen und absetzen. Ja, er könne sogar den Kaiser absetzen und die Untertanen von ihrem Treueeid entbinden. Das hatte zuvor noch kein Papst auszusprechen gewagt.

Der junge deutsche König wollte auf das Recht zur Einsetzung (Investitur) von Bischöfen keinesfalls verzichten und erklärte den Papst für abgesetzt. Daraufhin »bannte« der Papst den König, das heißt, er schloss ihn aus der Kirche aus. Der Bannspruch des Papstes wurde in vielen Kirchen vorgelesen: »Zur Ehre und zum Schutz der Kirche entziehe ich im Namen des allmächtigen Gottes, des Vaters, des Sohnes und des Heiligen Geistes, kraft der Macht und Gewalt des Apostels Paulus dem König Heinrich, Kaiser Heinrichs Sohn, die Herrschaft über das Reich der Deutschen und über Italien und löse alle Christen von dem Treueeid, welchen sie ihm geleistet haben oder noch leisten werden, und ich untersage jedem, ihm künftig als einem König zu dienen.« – Die Menschen konnten es kaum fassen. Ihr König im Bann wie der schlimmste Verbrecher. So etwas hatte es noch nie gegeben.

Der Bann zeigte Wirkung. Viele Lehnsmänner des Königs schlugen sich in diesem Streit auf die Seite des Papstes. Zum einen, weil sie selbst vom Bann bedroht waren; zum andern, weil sie darin eine Möglichkeit sahen, die eigene Macht zu stärken. Sie stellten Heinrich ein Ultimatum: Falls er nicht innerhalb eines Jahres vom Bann gelöst sei, wollten sie einen neuen König wählen. Wenn Heinrich also König bleiben wollte, musste er sich mit dem Papst versöhnen. Mitten im Winter machte er sich auf den Weg nach Italien. Zur gleichen Zeit war der Papst auf dem Weg nach Deutschland, um mit den deutschen Fürsten über das Schicksal des Königs zu entscheiden. Als er hörte, dass Heinrich nicht mehr weit sei, fürchtete er einen bewaffneten Angriff und floh in die Burg Canossa. Heinrich folgte ihm ohne Soldaten. Es heißt, der Papst habe ihn drei Tage lang in einem Büßergewand im Vorhof der Burg warten lassen, bevor er ihn empfing. Heinrich habe um Gnade gebettelt und schließlich habe der Papst den Bann aufgehoben.

Noch heute spricht man vom »Gang nach Canossa«, wenn jemand bei einem Gegner um Gnade bitten und sich dabei in gewisser Weise demütigen muss.

Mit dem Canossagang war der »Investiturstreit« allerdings nicht beendet. Es ging auch nicht mehr nur um Heinrich und Gregor. In dieser langen Auseinandersetzung ging es letztlich um die Frage, ob die weltliche oder die geistliche Macht an erster Stelle stehen sollte. Für alle gültig beantwortet wurde diese Frage bis zum Ende des Mittelalters nicht.

Von edlen Rittern

Wer heute durch Deutschland reist, kann an vielen Orten Burgen und Burgruinen sehen. Sie sind ein Überbleibsel aus der Ritterzeit.

Ritter waren zunächst einmal nichts anderes als Lehnsmänner, die mit ihrem Herrn in die Schlacht ritten. Aus diesen schwer gerüsteten Reitern entstand allmählich ein eigener Stand mit einer eigenen Lebensweise und strengen Regeln. Das begann schon mit der Ausbildung. Dabei sollten »Pagen« und »Knappen« nicht nur Reiten und Kämpfen, sondern auch gutes und höfliches Benehmen lernen. Vor allem aber sollten sie begreifen, dass der wahre Ritter nicht für den eigenen Vorteil kämpft, nicht aus Ruhmsucht oder gar zum Vergnügen, sondern stets zum Schutz des Glaubens und der Gerechtigkeit. Er hilft den Schwachen und Bedürftigen, ist edelmütig, großzügig, ehrenhaft und ohne Furcht und Tadel. Diesem Idealbild haben mit Sicherheit nicht alle Ritter entsprochen – man denke nur an die Raubritter.

In Friedenszeiten galten die Jagd und die Teilnahme an Turnieren als standesgemäßer Zeitvertreib für einen Ritter. Zur ritterlichen Lebensweise gehörte auch die so genannte »Minne«, die Verehrung adliger Frauen, um deren Gunst und Liebe bei Turnieren gekämpft wurde. Manche rühmten die Frauen auch in Erzählungen und Gedichten, die sie zur Laute vortrugen. Als die bekanntesten »Minnesänger« gelten heute Walther von der Vogelweide, Wolfram von Eschenbach, Hartmann von Aue und Heinrich von Ofterdingen.

Aus der Ritterzeit stammen einige Werke der Weltliteratur, unter anderem das *Nibelungenlied* und der *Parzival*. Zum ersten Mal schrieben Dichter nicht in Latein, sondern in ihrer Sprache, in der Sprache des Volkes.

Eines der schönsten Liebesgedichte deutscher Sprache stammt vermutlich von einem Minnesänger. Wir kennen seinen Namen nicht, aber sein Gedicht rührt uns bis heute – und wir müssen es nicht einmal in modernes Deutsch übersetzen:

Turniere, bei denen um Sieg und Ehre, vor allem aber um die Gunst adliger Frauen gekämpft wurde, zählten zu den Höhepunkten ritterlichen Lebens.

> Dû bist mîn, ich bin dîn:
> des solt dû gewis sîn.
> dû bist beslozzen
> in mînem herzen:
> verlorn ist daz slüzzelîn:
> dû muost immer drinne sîn.

Viele Ritter nahmen an den Kreuzzügen teil, mit denen die christlichen Stätten im »Heiligen Land« von den Arabern zurückerobert werden sollten. Dabei benahmen sie sich alles andere als ritterlich. Gleich beim ersten Kreuzzug (1096 bis 1099) richteten sie ein furchtbares Blutbad in Jerusalem an.

Den dritten Kreuzzug von 1189 bis 1192 führte der Stauferkaiser Friedrich I. Er stammte aus einer Ritterfamilie, die ihre Burg auf dem Hohenstaufen im Schwabenland hatte. Wegen seines rötlichen Bartes wurde er von den Italienern »Barbarossa« genannt. Während seiner Regierungszeit zog er sechsmal nach Italien, um seinen Herrschaftsanspruch durchzusetzen und die reichen Städte Oberitaliens zur Zahlung von Steuern und Abgaben zu zwingen. Bei dem Kreuzzug, den der 68-jährige Barbarossa nach Jerusalem führte, ist er am 10. Juni 1190 in einem Fluss ertrunken.

Die Nachricht vom Tod des beliebten Kaisers löste in Deutschland große Trauer aus. Viele wollten nicht glauben, dass Barbarossa wirklich tot war. Bald wurden Geschichten erzählt, in denen er weiterlebte. Der Sage nach sitzt er bis heute schlafend im Kyffhäuserberg in Thüringen, von wo er eines Tages kommen wird, um die alte Macht und Herrlichkeit des Deutschen Reiches wieder erstrahlen zu lassen.

Wer will Kaiser sein?

Nach dem Aussterben der Staufer im 13. Jahrhundert war das Ansehen der Kaiserkrone so tief gesunken, dass keiner der Fürsten sie haben wollte. Das Reich drohte in eine Vielzahl weltlicher und geistlicher Fürstentümer, Graf- und Ritterschaften und Freie Städte zu zerfallen. Am mächtigsten waren die sieben Kurfürsten (die Erzbischöfe von Köln, Mainz und Trier, der König von Böhmen, der Pfalzgraf bei Rhein, der Markgraf von Brandenburg und der Herzog von Sachsen), die allein das Recht hatten, einen neuen Kaiser zu wählen. Weil auch sie mehr an ihren eigenen Vorteil als an das Wohl des Reiches dachten, waren sie nicht an einem starken Herrscher interessiert. Und weil sie sich nicht einigen konnten, blieb das Reich von 1254 bis 1273 ohne Regierung. Diese Zeit wird nicht nur die »kaiserlose«, sondern auch die »schreckliche« genannt. Kaufleute, Dörfer, ja ganze Städte wurden von Raubrittern und plündernden Horden überfallen. Kein Leben und kein Eigentum war sicher. Wer stärker war, nahm sich, was er haben wollte. Gesetze wurden nicht mehr geachtet, es herrschte nur noch das Faustrecht.

Um diesen Zustand zu beenden, trafen sich die Kurfürsten im September 1273 zur Wahl eines Kaisers in Frankfurt. Einer von ihnen, König Ottokar II. von Böhmen, wäre selbst gern Herrscher des ganzen Reiches geworden. Aber er war den anderen Kurfürsten ohnehin schon zu mächtig, sodass sie lieber den vermeintlich schwachen Grafen Rudolf von Habsburg wählten. Bald sollte sich herausstellen, dass sie sich in ihm getäuscht hatten.

Rudolfs Stammsitz, die Habsburg, lag im Aargau in der

Schweiz. Verglichen mit den Kurfürsten war er zwar nur ein kleiner Graf, aber er galt als klug und zäh. Gleich zu Beginn seiner Regierungszeit ging er hart gegen die Raubritter vor, ließ viele hinrichten und ihre Burgen zerstören. Dann erließ er ein Gesetz über den Landfrieden, nach dem jeder Geschädigte vor dem Richter Klage erheben und Schadenersatz verlangen konnte. Wie schon Karl der Große zog er durch das Reich, um selbst nach dem Rechten zu sehen. »Ich bin nicht König geworden, um mich einzuschließen. Meine Augen sollen alles sehen und meine Ohren alles hören, was im Lande vor sich geht«, sagte er. Und ein Zeitgenosse schrieb über Rudolf: »Er verbreitet Furcht und Schrecken bei den ungerechten Großen und Freude unter dem Volk.«

Ein »Großer« allerdings zeigte von Anfang an keine Furcht vor dem »armen Grafen«, wie er Rudolf herablassend nannte: der böhmische König Ottokar. Er verweigerte Rudolf die Anerkennung und verhöhnte ihn sogar. Am 26. August 1278 standen sich die beiden mit ihren Soldaten auf dem Marchfeld bei Wien gegenüber. Ottokars Heer wurde besiegt, er selbst auf der Flucht getötet. Bald danach wurde Ottokars Reich

Rudolf von Habsburg, wie ihn seine Grabplatte im Speyerer Dom zeigt. Das Relief dieser Grabplatte gilt als eines der ersten wirklichen Porträts, das ein mittelalterlicher Künstler geschaffen hat.

aufgeteilt. Mit Zustimmung der Kurfürsten erhielten Rudolfs Söhne Österreich, die Steiermark, Kärnten und Krain als Lehen. Damit war der Grundstein für eine starke Stellung der Habsburger im Deutschen Reich gelegt. Durch geschicktes Verheiraten seiner drei Söhne und sechs Töchter und durch die Vergabe neuer Lehen an Familienmitglieder gelang es Rudolf, die Habsburger innerhalb von zwei Jahrzehnten zu einem der mächtigsten Geschlechter in Europa zu machen. Und als an die geistlichen Kurfürsten seiner Zeit niemand mehr dachte und die Familien der weltlichen Kurfürsten längst ausgestorben waren oder keine Macht mehr besaßen, regierten die Nachkommen des »armen Grafen Rudolf von Habsburg« noch immer als deutsche und österreichische Kaiser, der letzte bis 1918.

Finstere Zeiten

Das ausgehende 13. und noch mehr das 14. Jahrhundert waren unruhige und unsichere Zeiten. Nachdem der Habsburger Albrecht I. im Jahr 1308 von seinem Neffen ermordet worden war, machten die Kurfürsten den Grafen Heinrich aus dem Hause Luxemburg zum deutschen König. Als er fünf Jahre später starb, konnten sich die Kurfürsten nicht einigen und wählten gleich zwei Könige: den Habsburger Friedrich und den Wittelsbacher Ludwig. Das war und blieb einmalig in der deutschen Geschichte und machte ein Grundproblem des Reiches deutlich: die Schwäche des König- beziehungsweise Kaisertums. Weil die deutschen Könige und Kaiser von der Zustimmung der mächtigen Kurfürsten abhängig waren, konnte sich kein Machtzentrum mit einer Hauptstadt entwickeln, von wo aus das Reich dauerhaft regiert und verwaltet wurde.

Zur politischen Unsicherheit kam noch die große Plage des zu Ende gehenden Mittelalters: die Pest. Im Lauf des 14. Jahrhunderts fiel ihr etwa ein Drittel der Bevölkerung zum Opfer. Ganze Landstriche verödeten. Die Welt musste den Menschen als ewiges Jammertal mit Hunger, Pest und Kriegen erscheinen. Und auch von ihrer letzten Hoffnung, der Kirche, wurden viele enttäuscht. Denn sie erkannten den Widerspruch zwischen dem, was die Geistlichen verkündeten, und dem, was sie taten. Gepredigt wurden Nächstenliebe und Genügsamkeit, doch gleichzeitig lebten viele Kirchenmänner in Saus und Braus und waren mehr an weltlicher Macht als an einem Leben nach Gottes Geboten interessiert. So verloren die Menschen allmählich das Vertrauen in die Kirche und damit ihren letzten Halt. Sie glaubten nicht mehr, dass diese Ordnung – oder besser gesagt Unordnung – von Gott gewollt war. Das Verhalten der geistlichen und weltlichen Obrigkeit konnte nicht in Gottes Sinn sein. Viele Menschen verweigerten der Obrigkeit erstmals den Gehorsam und erhoben sich gegen sie. In den Städten und auf dem Land kam es zu Aufständen, die jedoch meistens blutig niedergeschlagen wurden.

Diese finsteren Zeiten meinte man, wenn man später das ganze Mittelalter »finster« nannte. Damit aber tat man den mittelalterlichen Menschen Unrecht. Das Mittelalter war auch eine Zeit großer politischer, wissenschaftlicher und kultureller Leistungen.

Mittelalterliche Baumeister begannen schon im 11. Jahrhundert mit dem Bau der romanischen Dome von Worms und Speyer. Im 13. Jahrhundert wurden die Grundsteine für die gotischen Kathedralen in Freiburg, Köln und Straßburg gelegt. Im 14. Jahrhundert folgten die Ulmer mit dem Bau ihres Münsters. Zur gleichen Zeit wurden in Prag, Wien, Heidelberg und Köln Universitäten gegründet, in denen nicht nur der rechte Glaube, sondern auch das wissenschaftliche Denken gelehrt wurde.

Das Bürgertum in den Städten forderte und erhielt erste politische Mitwirkungsrechte. Im Jahr 1396 entstand in Köln eine erste Verfassung, nach der alle Bürger ein Mitbestimmungsrecht in der Stadtpolitik besaßen.

Das alles vergisst, wer vom »finsteren Mittelalter« spricht.

Eine neue Zeit beginnt

Es waren auch und gerade Gelehrte, denen das ausgehende Mittelalter finster erschien. Deshalb wandten sie den Blick zurück in eine Zeit, die ihnen heller vorkam. Von Italien ausgehend erwachte ein neues Interesse am Altertum. Schriften, Bildnisse und Bauwerke der römischen und griechischen Vergangenheit wurden wieder entdeckt. Daran wollte man anknüpfen, um die Finsternis der eigenen Zeit zu überwinden. Durch die Wiedergeburt, die »Renaissance«, der Antike sollte eine neue Zeit beginnen.

Die mittelalterlich-christliche Auffassung, dass das Leben nur den einen Sinn habe, sich auf das Jenseits vorzubereiten, galt nicht mehr. Man wandte sich dem Diesseits zu und stellte den Menschen in den Mittelpunkt des wissenschaftlichen und künstlerischen Interesses. Ausgehend vom antiken Menschenbild wurde der Mensch wieder als ein Wesen gesehen, das nicht nur Teil eines Ganzen ist, sondern seinen Zweck in sich selbst hat. Die Gebildeten suchten Antworten auf Fragen und Probleme nicht mehr in der Bibel und bei den Kirchenvätern, sondern bei den Philosophen und Dichtern der Antike.

Diese geistige Bewegung, die sich von Florenz über ganz Europa ausbreitete, nennt man »Humanismus«. Die Humanisten gewannen neue Erkenntnisse, indem sie den Menschen und die Natur beobachteten und erforschten – und nicht immer war die Kirche mit diesen Erkenntnissen einverstanden. Die ihr am wenigsten genehmen versuchte sie sogar zu verbieten, so zum Beispiel Nikolaus Kopernikus' Entdeckung, dass die Erde nicht im Mittelpunkt des Universums steht.

Dass die neuen Gedanken und Erkenntnisse schneller als früher verbreitet werden konnten, war dem Mainzer Johannes Gutenberg zu verdanken. Um 1450 war es ihm gelungen, Bücher mit beweglichen Buchstaben aus Metall zu drucken. Das ging viel schneller und war viel billiger, als die Bücher mit der Hand abzuschreiben. Bald gab es in Deutschland und überall in Europa Druckereien, die Bücher, Bibeln und andere Schriften druckten. Trotzdem waren die Bücher noch so teuer, dass nur wenige Leute sie kaufen konnten. Schneller unters Volk kamen kleine Schriften und vor allem Flugblätter, die in den Städten viele Leser fanden. Auf dem Land konnten erst wenige Leute lesen. Die aber lasen den anderen vor, sodass die Gedanken der Humanisten mit der Zeit überall bekannt wurden.

Der bedeutendste Humanist jener Zeit war Erasmus

von Rotterdam. Der hoch geachtete Gelehrte sah in einer
Verbindung von antiker Vernunft und christlicher Fröm-
migkeit die größte Chance für eine menschlichere Welt.
Deswegen forderte er Bibelübersetzungen in alle Sprachen und unterschied sich damit »von denen, die nicht
wünschen, dass die Heilige Schrift von Laien in der Volks-
sprache gelesen werde. Als ob Christus so verwickelte
Dinge gelehrt, dass er kaum von einem kleinen Häuflein
von Theologen könnte verstanden werden. Oder als ob
der Schutz der christlichen Religion darin bestände, dass
man nichts von ihr wisse. Die
Geheimnisse der Könige zu ver-
hüllen mag vielleicht vorteilhaft
sein; Christus aber wünscht, dass

**Blick in eine frühe Druckerei:
links die Setzer an ihren
Kästen, rechts die Drucker
an den Druckerpressen.**

seine ›Geheimnisse‹ möglichst weit verbreitet werden.«

Im Gegensatz zu Erasmus dachte der humanistisch gebildete Ritter Ulrich von Hutten eher national. Er war ein leidenschaftlicher Gegner des Papsttums und träumte von einem deutschen Reich, in dem ein starker Kaiser, getragen von der Ritterschaft, regieren sollte. In seinen Schriften benutzte Hutten als einer der wenigen Humanisten die deutsche Sprache, um die Abgeschlossenheit der »elitären humanistischen Gelehrtenrepublik« zu durchbrechen.

Aus Italien kam um 1500 auch der lange verschollene Text der *Germania* des Tacitus. Für die deutschen Humanisten war dieser Text sehr wichtig. In ihm berichtete ein großer römischer Schriftsteller, eine hohe Autorität also, dass die Germanen schon seit Christi Geburt ein Volk waren. Was Tacitus mit »Germanen« genau gemeint hatte, fragte niemand. Hauptsache, es gab einen Beweis für die Wurzeln des deutschen Volkes. Zum ersten Mal in der Geschichte bildete sich nun so etwas wie ein deutsches Nationalbewusstsein heraus – auch wenn zu einer deutschen Nation noch viel fehlte.

Vom rechten Glauben

Trotz Renaissance und Humanismus lebten mittelalterliche Traditionen in Deutschland noch lange fort. Für die große Mehrheit der Menschen änderte sich durch die neuen Ideen und Erkenntnisse erst einmal nichts. Und an Veränderungen war vor allem die Kirche auch überhaupt nicht interessiert. Wer an ihr Kritik übte und sie reformieren wollte, lief Gefahr, aus der Kirche ausgeschlossen oder gar als Ketzer verbrannt zu werden wie der böhmische Reformer Johann Hus im Jahr 1415. Dass die Kirche noch im tiefsten Mittelalter steckte, zeigten auch die Hexenverfolgungen. Tausende unschuldige Frauen wurden oft grausam gefoltert, bis sie gestanden, mit dem Teufel im Bund zu sein, um dann auf dem Scheiterhaufen öffentlich verbrannt zu werden.

Neben der Verfolgung von »Ketzern« und »Hexen« waren für die meisten Kirchenfürsten Geld, Pracht und Macht das Wichtigste. So genügte dem neuen Papst Leo die alte Peterskirche in Rom nicht mehr. Er wollte sie noch prächtiger haben, eine Kirche, wie die Welt noch keine gesehen hatte. Für solche Pläne aber mussten zusätzliche Einnahmequellen erschlossen werden – was bei den sowieso schon hohen Abgabelasten, die die Gläubigen zu tragen hatten, schwierig war. Da half eine raffinierte Idee: Nach kirchlicher Lehre mussten die Menschen nach ihrem Tod durch das Fegefeuer gehen, um von ihren Sünden gereinigt zu werden; erst dann konnten sie in den Himmel kommen. Diese unermesslichen Qualen aber konnte die Kirche den Gläubigen ganz oder teilweise erlassen, wenn sie dafür einen »Ablass« bezahlten. Für diesen »Ablasshandel« schickte der Papst Ablassprediger durch die Lande, die den Gläubigen das Geld aus der Tasche zogen.

Von diesem Ablassgeschäft hörte in Wittenberg der Mönch und Theologieprofessor Martin Luther und war zutiefst empört. Er hatte sich jahrelang bemüht, die Bibel zu verstehen, um den rechten Weg zu Gott zu finden. Und nun erzählten die Ablassprediger den Leuten, Gottes Gnade sei für ein paar Dukaten zu haben. Dagegen wandte sich

Luther im Oktober 1517 mit 95 Lehrsätzen (Thesen). Ob er sie tatsächlich an die Tür der Wittenberger Schlosskirche hängte, wie die Legende will, ist dabei nicht so wichtig. In seinen Thesen begründete er, dass die Ablassprediger sich entweder irrten oder den Leuten bewusst etwas vorschwindelten, wenn sie ihnen erzählten, durch Geld könnten sie von allen Strafen befreit werden. »Ein jeder Christ, der wahre Reue und Leid empfindet über seine Sünden, hat die völlige Vergebung von Strafe und Schuld auch ohne Ablass, allein durch die Gnade Gottes«, schrieb er.

Luthers Thesen erregten Aufsehen. Innerhalb kurzer Zeit wurden sie in großer Zahl gedruckt und verbreitet. Luthers Schüler trugen seine Gedanken aus der Universität hinaus ins Land. Die Menschen strömten in Scharen zu seinen Predigten und begriffen, dass es dem Papst und den Bischöfen nicht um ihr Seelenheil, sondern allein um ihr Geld ging.

Weil Luther in einer deutlichen, manchmal auch deftigen Sprache sagte, was viele Menschen heimlich dachten, gewann er schnell zahlreiche Anhänger.

Ein Jahr nach der Veröffentlichung der 95 Thesen verlangte der Papst von Luther, seine »Irrlehren« zu widerrufen. Doch dazu war Luther nicht bereit. Im Gegenteil: Er verfasste weiter Schriften, in denen es auch um soziale und politische Fragen ging. Die große Not so vieler Menschen sei nicht der Wille Gottes, schrieb er. Vor allem der Papst und die Geistlichen seien schuld an den Missständen. Deshalb müssten sie der weltlichen Obrigkeit unterworfen werden und alle Macht verlieren. Den Papst nannte Luther gar einen »Antichristen«. In der Schrift *An den christlichen Adel deutscher Nation* forderte er eine Reform der deutschen Kirche und eine Trennung von der römischen Papstkirche. Luthers populärste Schrift *Von der Freiheit eines Christenmenschen* begann mit dem Satz: »Ein Christenmensch ist ein freier Herr aller Dinge und niemand untertan.«

Dieser Satz verbreitete sich wie ein Lauffeuer. Er elek-

Die sächsischen Kurfürsten waren Luthers wichtigste und stärkste Förderer. Hier ist es Johann Friedrich der Großmütige, der Neffe Friedrichs des Weisen, der sich schützend vor den Reformator stellt.

trisierte die Menschen geradezu. Für sie war Luther der
lang herbeigesehnte Erlöser. Für den Papst und die Kirchenfürsten war er ein Ketzer. Ebenso für den jungen
Habsburger Kaiser Karl V., der Luther verhaften lassen
wollte. Aber Friedrich der Weise von Sachsen, Luthers
Landesfürst, ließ das nicht zu. Also lud der Kaiser den
»widerspenstigen Mönch« im Jahr 1521 vor den Reichstag (eine Versammlung hoher geistlicher und weltlicher
Fürsten) in Worms, wo er endlich widerrufen sollte. Dazu
war Luther bereit – wenn ihm jemand aus der Bibel
beweisen könne, dass seine Lehre falsch sei. Doch der
Kaiser und die Fürsten wollten nicht mit Luther über
Glaubensfragen diskutieren, sie wollten seinen Widerruf.
Luther aber blieb standhaft und wäre wohl wie Johann
Hus auf dem Scheiterhaufen gelandet, wenn ihn der Kur-
fürst von Sachsen nicht beschützt und versteckt hätte.
Über dessen Motive wurde viel spekuliert. Sicher ist, dass
Friedrich der Weise durch sein Handeln mit dazu bei-
getragen hat, die Welt grundlegend zu verändern.

Der »gemeine Mann« erhebt sich

Während Martin Luther unter dem falschen Namen »Jun-
ker Jörg« auf der Wartburg bei Eisenach lebte und das
Neue Testament erstmals in eine für alle Deutschen
verständliche Sprache übersetzte, wuchs die Unruhe im
Land. Viele Mönche verließen die Klöster, um Luthers
Lehren zu predigen. Nonnen und Mönche brachen ihr
Gelöbnis und heirateten. Aber am meisten rumorte es un-

ter den Bauern. Dass ein Christenmensch niemand untertan sein solle, bezogen sie auf die sozialen und politischen
Verhältnisse, auch wenn Luther es so nicht gemeint hatte.
Hörige und Leibeigene fühlten sich nicht mehr zum Gehorsam verpflichtet und forderten die Abschaffung adliger Vorrechte. »Als Adam grub und Eva spann, wo war
denn da der Edelmann?«, sangen die Bauern in Süd-
deutschland und wagten zum ersten Mal in der deutschen
Geschichte, sich gegen die Obrigkeit zu erheben.

Mehrere »Haufen« mit 8 000 bis 12 000 bewaffneten
Bauern konnten anfangs beachtliche Siege erringen. Im
Mai 1525 trat in Heilbronn sogar ein »Bauernparlament«
zusammen, um eine Verfassung für das neue Reich zu beraten. Vor allem war geplant, die Macht der Landesfürsten zu beschneiden und dafür eine starke kaiserliche Zentralregierung zu schaffen. Staat und Kirche sollten getrennt, geistlicher Besitz verstaatlicht werden. Die Gemeinden sollten das Recht bekommen, ihre Pfarrer selber
zu wählen. Eine Ständeversammlung mit gleich vielen
Vertretern des Adels, der Bürger und der Bauern war vorgesehen. Die weltlichen Herren sollten vom Reich ihr
Einkommen erhalten, also eine Art Beamte sein. Die Gerichte sollten nur mit Laien (Nichtgeistlichen), vor allem
mit Bürgern und Bauern besetzt werden. Die mächtigen
Handelsgesellschaften und Bankhäuser der Fugger, Hof-
stetter und Welser wollte man auflösen. In Wirtschaft und
Handel sollte der Nutzen aller vor der Bereicherung Ein-
zelner stehen. – Damit waren die Grundgedanken einer
sozialen, vom Volk getragenen Monarchie formuliert.

Diese neue und gerechtere Ordnung wäre die fort-
schrittlichste jener Zeit gewesen; sie konnte zum Schaden

In den Memminger »Zwölf Artikeln« hielten die Bauern fest, wie sie sich Frieden und Einigkeit in einer gerechten, an den Geboten der Bibel orientierten Ordnung vorstellten. Abgebildet ist hier das Titelblatt der Schrift, die innerhalb weniger Wochen überall im Reich nachgedruckt wurde.

der deutschen Geschichte nicht verwirklicht werden, weil die Fürsten ein starkes Heer aufstellten, das die Bauernhaufen in Oberschwaben, Württemberg, Franken und Thüringen besiegte. Und wie die Bauern zu Beginn des Aufstandes, so beriefen sich nun die Fürsten auf Martin Luther. In seiner Schrift *Ermahnung zum Frieden* hatte er zwar noch Verständnis für die Bauern gezeigt, nicht jedoch für die Art, wie sie ihre Forderungen durchsetzen wollten. »Christen sind Menschen, die nicht mit dem Schwert noch mit der Büchse streiten.«

Auf dem Höhepunkt des Bauernkrieges schlug sich Luther mit seiner Schrift *Wider die räuberischen und mörderischen Rotten der Bauern* endgültig auf die Seite der Fürsten. Er warf den Bauern vor, gegen Gott und die Obrigkeit zu sündigen, wofür sie »ewig des Teufels« seien. Die Obrigkeit aber handle im Namen Gottes, wenn sie das Schwert benutze. »Drum, liebe Herren, steche, schlage, würge, wer da kann!«

Das taten die »lieben Herren«. Sie ließen keine Gnade walten, denn ihnen kam es darauf an, die Menschen so einzuschüchtern, dass sie sich nie wieder erheben würden.

Die brutale Niederschlagung der ersten Massenbewegung in Deutschland wirkte dann auch jahrhundertelang nach. Mit Alexander von Humboldt kann man sagen: »Der große Fehler in der deutschen Geschichte ist, dass die Bewegung des Bauernkrieges nicht durchgedrungen ist.«

Was hätte nicht alles anders werden können, wären die Bauern 1525 erfolgreich gewesen!

Glaubens- und Kirchenspaltung

Im Streit um den richtigen Glauben und die Reform der Kirche stellten sich viele Fürsten und Städte auf die Seite des Reformators Martin Luther. Dafür hatten sie sicher unterschiedliche Gründe. Manche mögen von Luthers Lehre überzeugt gewesen sein; andere dachten vielleicht mehr an die geistlichen Besitztümer, die ja aufgelöst und verteilt werden sollten. Wie auch immer, in vielen Ländern und Städten wurde die Kirche im Sinne Luthers reformiert. Die Klöster wurden aufgelöst, den Geistlichen wurde die Ehe erlaubt, der Gottesdienst wurde umgestaltet und in deutscher Sprache gehalten. Auch deutsche Kirchenlieder wurden gesungen.

Da andere Fürsten und Städte am katholischen Glauben festhielten, führte die Reformation – entgegen Luthers ursprünglicher Absicht – zu einer Glaubens- und Kirchenspaltung. Als 1526 der Reichstag in Speyer zusammentrat, waren beide Seiten bemüht, den offenen Konflikt zu vermeiden. Man hoffte noch auf die Überwindung der Spaltung durch eine Bischofsversammlung, ein »Konzil«, und schloss folgenden Kompromiss: Jeder solle es mit der lutherischen Lehre so halten, wie er es vor Gott und dem Kaiser verantworten könne.

Drei Jahre später aber wollten die katholisch gebliebenen Fürsten den Kompromiss wieder rückgängig machen. Fünf reformierte Fürsten und vierzehn Städte legten feierlich Protest ein. So entstand der Name »Protestanten« für alle, die sich von der römischen Kirche lossagten.

1546 begann sogar ein Krieg zwischen den beiden Lagern. 1547 wurden die Protestanten von den kaiserlichen

Truppen geschlagen. Dabei ging es Kaiser Karl V. nicht nur um den rechten Glauben; es kam ihm vor allem darauf an, »die Selbstständigkeit der Landesherren zu zerstören und aus Deutschland einen Staat zu machen, in dem die Macht beim Kaiser liegt«.

Je klarer den katholischen Fürsten das Ziel des Kaisers wurde, desto zahlreicher wechselten sie die Seite. Mit einem überraschenden Angriff zwangen sie den Kaiser zum Nachgeben und zur Flucht. Sein Bruder Ferdinand führte fortan die Verhandlungen mit den Protestanten.

Im »Augsburger Religionsfrieden« von 1555 wurde die lutherische Lehre schließlich als gleichberechtigt anerkannt. Die Untertanen mussten das Bekenntnis ihres Landesherrn annehmen. Andersgläubige »durften« auswandern. In Reichsstädten mit konfessionell gemischter Bevölkerung hatten beide Kirchen das Recht zur Ausübung ihrer Religion. Mit diesem Frieden war die religiöse Spaltung Deutschlands besiegelt.

Der Dreißigjährige Krieg

Der Augsburger Religionsfrieden sollte ein friedliches Nebeneinander von Katholiken und Protestanten ermöglichen, schloss künftige Veränderungen allerdings nicht aus. Und beide Seiten versuchten schon bald, ihren Einflussbereich auszudehnen. Die katholische Kirche wandte dafür eine Doppelstrategie an: Reform, also innere Erneuerung, und Gegenreformation, also Kampf gegen die Protestanten. Anfangs verlief dieser Kampf noch weitgehend gewaltlos. Aber um 1600 verschärften sich die Gegensätze. Protestantische Fürsten schlossen sich 1608 zur »Union«, katholische zur »Liga« zusammen.

Besonders verworren und angespannt war die Lage in Böhmen. Dort wurde im Jahr 1617 der katholische Habsburger Ferdinand II. König. Er verlangte von den Protestanten, den katholischen Glauben anzunehmen, ließ ihre Kirchen schließen und sogar niederreißen. Und er wollte die politischen Mitbestimmungsrechte der böhmischen Landstände (die Vertretung von Adel, Kirchen und Bürgertum) aufheben. Da versammelten sich am 23. Mai 1618 böhmische Adlige und Bürger vor der Prager Burg, drangen schließlich in die Burg ein und warfen drei Vertreter des Königs aus dem Fenster. Dieser »Prager Fenstersturz« war der Auftakt zu einem entsetzlichen Krieg, der 30 Jahre dauern sollte. Kein Krieg hatte je so viel Leid und Elend über die Menschen gebracht wie dieser »Dreißigjährige Krieg«. In vielen Schriften überboten sich später die Chronisten bei den Schilderungen der Grausamkeiten, die von Soldaten begangen wurden. Was aber waren die Hintergründe dieses Krieges?

Der Dreißigjährige Krieg wurde und wird allgemein als Glaubenskrieg bezeichnet. Für die erste Phase traf das auch noch zu. Da wollten die Katholiken unter Führung der Habsburger und Wittelsbacher das Reich wieder katholisch machen. Gleichzeitig aber ging es um die Aufteilung der Macht zwischen der kaiserlichen Zentralgewalt und den Landesfürsten. Das zeigte sich deutlich, als die kaiserlichen Truppen unter Wallenstein ganz Norddeutschland erobert hatten. Im Hochgefühl des Sieges erließ Kaiser Ferdinand ein Gesetz, nach dem alle protestantisch gewordenen Kirchengüter dem Reich zufallen sollten. Diese Maßnahme scheiterte am geschlossenen Widerstand der katholischen Kurfürsten. Denn die großen Gebiete hätten die Besitzverhältnisse und damit die Macht zu Gunsten des Kaiserhauses verschoben. Das zu verhindern war den katholischen Kurfürsten viel wichtiger als die Glaubensfrage.

Auch als die Nachbarländer in den Krieg eingriffen, ging es mehr um Machtfragen als um den rechten Glauben. So förderte das katholische Frankreich aus dem Hin-

Die Soldaten des Dreißigjährigen Krieges kannten kein Erbarmen, auch nicht gegenüber der zivilen Bevölkerung.

tergrund den Widerstand der katholischen deutschen Fürsten gegen den katholischen Kaiser, nur um die Habsburger zu schwächen und selbst die Vormacht in Europa zu gewinnen. Aus diesem Grund unterstützte Frankreich auch den Vorstoß des protestantischen Schwedenkönigs Gustav Adolf im Sommer 1630. Der Schwede wurde von den Protestanten als »Befreier von der Habsburger Tyrannenherrschaft« gefeiert und er wollte seinen Glaubensbrüdern durchaus helfen. Aber vor allem hoffte er auf Landgewinne in Norddeutschland, um die schwedische Herrschaft an der Ostsee dauerhaft zu sichern.

Katholisch hin, protestantisch her, den Mächtigen ging es also, wie so oft in der Geschichte, nur um mehr Macht. Und wie so oft mussten die kleinen Leute darunter leiden. Wie viele Menschen ihr Leben in diesem Krieg verloren haben, lässt sich nicht genau sagen. Die Schätzungen schwanken zwischen 7 und 8 Millionen. Zu Beginn des Krieges hatte Deutschland etwa 17 Millionen Bewohner, am Ende waren es noch ungefähr 10 Millionen. Und viele der Überlebenden beneideten die Toten.

Wie der Krieg, so zogen sich auch die Friedensverhandlungen beinahe endlos hin. Am 24. Oktober 1648 wurde der »Westfälische Friede« verkündet. Dabei wurde der Augsburger Religionsfrieden von 1555 erneut bekräftigt und ergänzt. Ein Religionswechsel der Obrigkeit musste nun von den Untertanen nicht mehr nachvollzogen werden. Das war ein wichtiger Schritt hin zur Glaubensfreiheit, auch wenn sie noch nicht gesichert war.

Die deutschen Fürsten gingen gestärkt aus dem Krieg hervor. Kaiser Ferdinand III. akzeptierte ihre weitgehende Selbstständigkeit mit eigener Gesetzgebung, Rechtsprechung und Steuerhoheit. Sie erhielten sogar das Recht, Bündnisse untereinander und mit fremden Staaten zu schließen, solange diese nicht gegen Kaiser und Reich gerichtet waren. Der Kaiser selbst war bei seinen Entscheidungen an die Zustimmung des Reichstages gebunden.

Auch nach außen wurde das Reich als Ganzes durch den Friedensvertrag geschwächt. Es musste Gebiete an Frankreich und Schweden abtreten; die Niederlande und die Schweiz schieden aus dem Reich aus. Die neue europäische Ordnung entsprach in erster Linie französischen Interessen. Und weil Deutschland Jahrzehnte brauchte, um sich von den sozialen und wirtschaftlichen Folgen des Krieges zu erholen, löste Frankreich das Heilige Römische Reich Deutscher Nation für die nächsten 200 Jahre als Führungsmacht in Europa ab.

Der Staat bin ich

Wer die Entwicklung im Deutschen Reich nach dem Westfälischen Frieden verstehen will, muss einen Blick nach Frankreich werfen. Dort übernahm der 23-jährige Ludwig XIV. im Jahr 1661 die Regierungsgeschäfte. Als Erstes holte er Männer in seine Regierung, die ihm bedingungslos gehorchten. Die hohen Adligen, die zuvor oft ihre eigene Politik betrieben hatten, verloren ihre Ämter. Auch draußen im Land überließ er die Macht nicht mehr den Adligen. Er setzte für jeden Amtsbezirk einen obersten Beamten, den Intendanten, ein. Der musste mit Hilfe von Amtsdienern und Polizisten für den Einzug der Steuern und für Ordnung sorgen. Der König konnte ihn jederzeit entlassen, wenn er seine Pflichten nicht erfüllte. So wurde der ganze Staat einheitlich regiert und verwaltet. Alle Steuereinnahmen kamen in die Staatskasse, und der König bestimmte, wofür das Geld ausgegeben wurde. Auch neue Gesetze erließ der König und selbst über Krieg und Frieden entschied er allein. Er besaß also die ganze, die absolute Macht im Staat. Er regierte »absolutistisch«. Ludwig XIV., der »Sonnenkönig«, soll sogar gesagt haben: »Der Staat bin ich.«

Außenpolitisch verfolgte er das Ziel, Frankreichs führende Stellung in Europa zu festigen und auszubauen. Dafür wurde das Heer stark vergrößert und besser ausgebildet. Das kostete natürlich viel Geld. Ebenso wie der Bau des riesigen Schlosses von Versailles und das prunkvolle, ja verschwenderische Leben am Hof. Das notwendige Geld zu beschaffen war Aufgabe des Ministers Colbert. Er entwarf eine Wirtschaftspolitik nach folgenden Grundgedanken: Frankreich muss mehr Waren herstellen, als die eigene Bevölkerung braucht. Es müssen möglichst viele Waren aus- und möglichst wenige Waren eingeführt werden, damit der Überschuss möglichst groß ist.

Zu diesem Zweck förderte Colbert den Bau großer Betriebe, in denen hochwertige Güter wie Kutschen, Möbel, Teppiche, Kleidung und anderes mehr in großer Zahl hergestellt werden konnten. Und zwar durch Hunderte von Fach- und Hilfsarbeitern. Um die Güter aus solchen »Manufakturen« schnell verkaufen zu können, wurden Straßen, Kanäle und Häfen gebaut.

Ausländische Waren wurden mit hohen Zöllen belegt und waren deshalb für die Franzosen sehr oft zu teuer.

Diese Wirtschaftspolitik, »Merkantilismus« genannt, nahm wenig Rücksicht auf die Bedürfnisse des Volkes. Ihr oberstes Ziel war, Geld in die Staatskasse zu bringen.

Überall in Europa ahmten die Fürsten den Regierungsstil und die Politik des französischen Königs nach. Auch die vielen deutschen Fürsten wollten zumindest kleine Sonnenkönige sein. Sie ließen prächtige Residenzen bauen, hielten darin Hof und regierten absolutistisch wie ihr Vorbild. Wie in Frankreich kostete das sehr viel Geld und manche Fürsten stürzten ihre Länder in große Finanznot. Darunter hatte in erster Linie das Volk zu leiden, weil immer mehr Steuern und Abgaben von ihm verlangt wurden. Vor allem die Bauern wurden bis zum Letzten ausgepresst. Neben den vielen Abgaben mussten sie beim Bau der oft riesigen Residenzen und Abteien immer wieder Frondienste leisten. Ebenso wenn Rathäuser, Kirchen, Pfarrhäuser und Kasernen gebaut, Wege und Straßen angelegt wurden. Das sollte nicht vergessen, wer heute die prächtigen Bauwerke aus jener Zeit bewundert.

Die Preußen kommen

Im 17. Jahrhundert gewann in Deutschland ein altes Fürstengeschlecht an Bedeutung: die Hohenzollern. Seit dem 11. Jahrhundert hatten sie ihren Besitz zuerst zwischen Donau und Neckar, dann bis ins Fränkische stetig vergrößert. Für treue Dienste hatte König Sigismund dem hohenzollerischen Grafen Friedrich VI. im Jahr 1415 die Markgrafschaft Brandenburg übertragen und ihn zum

Kurfürsten gemacht. Später erhielten die Hohenzollern noch andere Grafschaften und zuletzt 1618 das Herzogtum Preußen.

Die Gebiete des Hauses Hohenzollern waren sehr weit verstreut. Von einem einheitlichen Staat konnte keine Rede sein. Zudem war das Land auch wirtschaftlich sehr schwach. Das alles wollte der junge Kurfürst Friedrich Wilhelm ändern. 1640 übernahm er als 20-Jähriger die Regierung in Brandenburg-Preußen. Zuvor hatte er unter anderem am holländischen Königshof vier Jahre lang eine politische und militärische Ausbildung erhalten. Seit dieser Zeit schätzte er die Holländer sehr. Und weil das dünn besiedelte Brandenburg-Preußen zuerst einmal mehr Menschen brauchte, bot Friedrich Wilhelm holländischen Siedlern kostenloses Land und sechs Jahre Steuerfreiheit an, wenn sie »Holländereien«, das heißt Musterbetriebe für Tierhaltung, Milchwirtschaft, Obst- und Gemüsezucht, anlegten. Dieses Angebot nahmen viele Holländer an, was die Landwirtschaft bald spürbar in Schwung brachte.

Zur gleichen Zeit wollte Ludwig XIV. die Hugenotten (so nannte man in Frankreich die Protestanten) gewaltsam bekehren. Friedrich Wilhelm nutzte die Gunst der Stunde und gewährte im »Edikt von Potsdam« Religionsfreiheit. Daraufhin kamen etwa 20 000 Hugenotten nach Brandenburg-Preußen, darunter viele tüchtige Handwerker und auch etliche Unternehmer, die neue Manufakturen gründeten. Alle Städte profitierten von den neuen Bürgern, am meisten Berlin, wo bald ein Drittel der Bevölkerung Franzosen waren. Um den Handel anzukurbeln, wurden Straßen gebaut; ein Kanalsystem wurde geplant, damit Berlin »Hafenstadt« werden konnte.

Der wachsende Reichtum ermöglichte den Aufbau eines starken Heeres, was für Friedrich Wilhelm, den man schon bald den »Großen Kurfürsten« nannte, sehr wichtig war.

Als ihm nach 48-jähriger Regentschaft sein Sohn Friedrich nachfolgte, kannte der nur ein Ziel: Er wollte König werden. Jahrelang verteilte Friedrich bei den Kurfürsten Gelder, um ihre Stimmen zu kaufen. Die Habsburger erhielten etwa 300000 Taler. Außerdem stellte Friedrich dem Kaiser für den Krieg gegen Spanien 10000 Soldaten zur Verfügung und versprach für die Zukunft eine jährliche Zahlung von 100000 Talern.

Im Januar 1701 hatte Friedrich es geschafft. In der Schlosskapelle von Königsberg krönte er sich eigenhändig zum »König in Preußen«. Am Wiener Hof löste das allerdings nur Heiterkeit aus, denn der erste Preußenkönig wurde überhaupt nicht ernst genommen. So ein verstreutes Staatsgebilde konnte ihrer Meinung nach nicht von Dauer sein, ob es nun von einem Kurfürsten oder von einem König regiert wurde. Und beinahe hätten sie Recht bekommen. Denn die verschwenderische Hofhaltung verschlang riesige Summen. Zum Glück für Brandenburg-Preußen wurde Friedrich nur 56 Jahre alt, sonst hätte er das Land vermutlich in den Ruin getrieben.

Von ganz anderem Schlag war Friedrichs Sohn, der wie sein Großvater Friedrich Wilhelm hieß. Er zeigte wenig Interesse an höfischem Prunk; ihm waren die Regierungsgeschäfte viel wichtiger. Der fromme Pedant war von einem beinahe krankhaften Pflichtbewusstsein erfüllt.

Als höchste Pflicht galt ihm, »meinem Land und meinem Volk dauerndes Glück zu sichern«. Voraussetzung dafür waren seiner Meinung nach ein starkes Heer und sparsame Haushaltsführung.

Friedrich Wilhelm I. ließ Haushaltspläne aufstellen und die Oberrechnungskammer musste alle Einnahmen und Ausgaben genau prüfen. Auf diese Weise wurden die Beamten zum sparsamen Umgang mit dem Geld erzogen. Nur in einem Bereich wurde überhaupt nicht gespart: beim Heer. Von den 7,5 Millionen Talern, die der Staat jährlich einnahm, wurden 5 Millionen für die Armee ausgegeben. Friedrich Wilhelm, der »Soldatenkönig«, ließ junge Männer in den Dörfern und auch im Ausland anwerben, wobei die Werber nicht selten Gewalt anwendeten. Schritt für Schritt wuchs das preußische Heer von 40 000 auf 80 000 Mann – und das bei etwa 3 Millionen Einwohnern. Nach der Einwohnerzahl lag Brandenburg-Preußen in Europa an dreizehnter Stelle, nach seiner militärischen Macht nahm es hinter Frankreich und den habsburgischen Staaten bereits den dritten Platz ein. Das war nur möglich geworden, weil in Brandenburg-Preußen alle Lebensbereiche straff bürokratisch durchorganisiert waren, um auch die letzten Kräfte zu mobilisieren. Pflichtbewusstsein, Gehorsam, Disziplin, Ordnung und Fleiß galten dem Soldatenkönig als höchste Werte. Die sah er am besten in der Armee verwirklicht – also sollte das ganze Land zu einer Art Kaserne werden.

Wenn wir heute von einem »Preußen« sprechen oder etwas »preußisch« nennen, dann meinen wir damit zweierlei: die oben genannten »preußischen Tugenden«, aber auch die Untugend, es damit fanatisch genau zu nehmen.

Was ist Aufklärung?

Neben den politischen Veränderungen gab es in dieser Zeit in Europa auch eine neue geistige Strömung. Die mit der Renaissance und dem Humanismus begonnene Überwindung des christlich geprägten mittelalterlichen Weltbildes setzte sich verstärkt fort. Vor allem aus Frankreich und England kamen die neuen Gedanken. Dazu gehörte die Skepsis gegenüber den alten Autoritäten. Kirchliche Lehrsätze und Glaubensüberlieferungen wurden wie andere »ererbte Wahrheiten« kritisch befragt und mit Hilfe des Verstandes beurteilt. Was dieser rationalen Überprüfung nicht standhielt, wurde verworfen. Nur was der Mensch mit seiner Vernunft erkennen könne, sei wahr, schrieb der Franzose René Descartes in seiner *Abhandlung über die Methode des richtigen Vernunftgebrauchs*. Ziel dieses neuen Denkens war der »aufgeklärte Mensch«.

Was unter Aufklärung zu verstehen sei, fasste der deutsche Philosoph Immanuel Kant zusammen:

»Aufklärung ist der Ausgang des Menschen aus seiner selbstverschuldeten Unmündigkeit. Unmündigkeit ist das Unvermögen, sich seines Verstandes ohne Leitung eines anderen zu bedienen. Selbstverschuldet ist diese Unmündigkeit, wenn die Ursache derselben nicht am Mangel des Verstandes, sondern der Entschließung und des Mutes liegt, sich seiner ohne Leitung eines anderen zu bedienen.

›Sapere aude! Habe Mut, dich deines eigenen Verstandes zu bedienen!‹, ist also der Wahlspruch der Aufklärung.«

Die Aufklärer befragten nicht nur das Christentum kritisch, sondern auch den Staat. Stimmte es eigentlich, dass die Herrscher ihre Macht von Gott hatten? Oder waren sie nicht Menschen wie alle anderen auch? »Die Vernunft lehrt die Menschen, dass wir alle gleich und unabhängig sind«, schrieb der englische Philosoph John Locke. »Wenn wir betrachten, in welchem Zustand sich die Menschen von Natur befinden, so sehen wir: Dies ist ein Zustand völliger Freiheit.«

Für Locke und andere Aufklärer wie die Franzosen Montesquieu, Rousseau und Voltaire besitzen alle Menschen von Geburt an unverletzliche, natürliche Rechte. Um diese Naturrechte zu schützen, bilden sie Gemeinschaften und schließen Gesellschaftsverträge. Darin werden unter anderem die Rechte und Pflichten der Regierten und der Regierenden festgelegt. Nach diesem Denken sind die Herrscher also nicht »von Gottes Gnaden«, sondern vom Volk eingesetzt. Und wenn ein Herrscher das in ihn gesetzte Vertrauen missbraucht, hat das Volk ein Recht, die Gewalt durch Gewalt zu beseitigen.

Diese revolutionären Gedanken lehnten die allermeisten Fürsten ab. Nicht so der preußische Kronprinz Friedrich, dessen Denken von den Aufklärern stark beeinflusst war.

Der kleine Friedrich wird groß

Der älteste Sohn des Soldatenkönigs verachtete die preußischen Tugenden. Dagegen liebte Friedrich die französische Lebensart, kleidete sich nach französischer Mode, las französische Bücher, spielte heimlich Flöte und lernte Latein. Sein Vater hielt das für nichts als dumme Flausen und versuchte sie ihm mit strenger, ja harter Erziehung auszutreiben. Dabei setzte es oft Hiebe und Stockschläge.

Als Friedrich 18 Jahre alt war, wollte er der väterlichen Knute entfliehen und mit einem Freund das Land verlassen. An der Grenze wurden sie erwischt und als Deserteure vor ein Kriegsgericht gestellt. Der Kronprinz wurde begnadigt, musste aber vom Fenster seiner Zelle aus mitansehen, wie sein bester Freund enthauptet wurde. Diese bitteren Erfahrungen veränderten den kultivierten, feinsinnigen und klassisch gebildeten jungen Friedrich sehr. Bald fügte er sich dem Willen seines Vaters, leistete in der Provinzialregierung von Küstrin eine Lehrzeit ab, übernahm danach die Führung eines Regiments und heiratete schließlich die Prinzessin, die sein Vater für ihn ausgesucht hatte.

Zusammen mit seiner Frau lebte Friedrich auf dem Schloss Rheinsberg in Brandenburg, wo er sich wieder verstärkt mit Musik und Literatur beschäftigte. Er begann auch einen Briefwechsel mit dem französischen Philosophen Voltaire und schrieb ein Buch. Darin entwarf er das Bild eines pflichtbewussten und friedliebenden Fürsten, der Künste und Wissenschaften achtet und fördert.

Als Friedrich mit 28 Jahren König wurde, hofften viele, nun werde ein Philosoph auf dem Thron sitzen und das Land in Frieden regieren. Doch diese Hoffnung wurde nur zum Teil erfüllt.

Fünf Monate nach der Krönung Friedrichs II. starb Kaiser Karl VI. Seine Tochter Maria Theresia durfte ihm zwar auf den österreichischen Thron folgen; aber ob sie auch Kaiserin des Heiligen Römischen Reiches werden konnte, war umstritten. Diese Unsicherheit nutzte der junge Preußenkönig zur Überraschung aller aus, um sein Land

auf Kosten der Habsburger zu vergrößern. Im Dezember
1740 besetzten preußische Truppen Schlesien. Es kam
zum Krieg, in dem Friedrich von dem sehr gut ausgebildeten und bewaffneten Heer, das ihm sein Vater hinter-
lassen hatte, profitierte. Aber ohne die Machtgier Frankreichs, Spaniens, Bayerns und Sachsens, die auf einen Anteil an der Beute hofften und deshalb den Friedensbrecher
unterstützten, hätten Friedrich und Preußen den 1. Schlesischen Krieg wohl nicht überstanden.

Den 2. Schlesischen Krieg begann Friedrich schon 1744,
aus Angst, Österreich könnte mit Hilfe seines neuen Ver-

**Schon zu Lebzeiten erhielt Friedrich II. den Beinamen »der Große«.
In dem Namen, den ihm der Volksmund in seinen späten Jahren gab,
klingt neben dem Respekt auch die Sympathie an, die er bei den
einfachen Leuten genoss: Man nannte ihn den »alten Fritz«. Hier reitet
er zur Besichtigung seines Leibgarderegiments.**

bündeten England einen Gegenschlag planen. Nach diesem Krieg verzichtete Österreich auf den größten Teil Schlesiens. Preußen wiederum erkannte Maria Theresia als habsburgische Erbin an und unterstützte die Wahl ihres Mannes Franz Stephan zum Kaiser des Reichs.

Damit hatte sich im Deutschen Reich eine grundlegende Veränderung ergeben. Den katholischen Habsburgern im Süden stand mit den protestantischen Hohenzollern im Norden eine beinahe ebenbürtige Macht gegenüber. Daran änderte auch der dritte Krieg um die Vorherrschaft in Deutschland nichts.

Diesem »Siebenjährigen Krieg« von 1756 bis 1763 verdankte Friedrich den Ruf, ein großer Feldherr zu sein. Denn Preußen stand gegen Österreich, Frankreich, Russland und die meisten deutschen Reichsfürsten. Trotz englischer Hilfe war dieser Krieg für Preußen eigentlich nicht zu gewinnen, und mehrmals schien die Lage auch ziemlich aussichtslos. Doch gerade dann bewies Friedrich seine glänzenden militärischen Fähigkeiten, zeigten seine Offiziere ihr großes Können, bewährte sich die einmalige Disziplin und Schlagkraft der preußischen Armee. Und als das alles nicht mehr ausreichte, kam Friedrich noch das Glück – manche sprachen auch von einem Wunder – zu Hilfe: In Russland starb völlig unerwartet die Zarin Elisabeth. Ihr Nachfolger Peter III. war ein großer Bewunderer Friedrichs. Er wechselte sofort die Fronten und schloss einen Bündnisvertrag mit Preußen. Ein Jahr später, am 15. Februar 1763, wurde der Siebenjährige Krieg mit dem »Frieden von Hubertusburg« beendet. Friedrich hatte die Stellung Preußens als europäische Großmacht behauptet und ließ sie im Friedensvertrag festschreiben.

Ich bin der erste Diener meines Staates

Anders als der Sonnenkönig und die absolutistischen Fürsten betrachtete Friedrich den Staat nicht als persönlichen Besitz. Für ihn stand der Staat über allen, und alle hatten die Pflicht, ihm nach besten Kräften zu dienen. Der König genauso wie der kleinste Bauer. Als »erster Diener des Staates« kümmerte sich Friedrich auch um viele Kleinigkeiten und versuchte für alle Lebensbereiche Regeln aufzustellen. So entstand Schritt für Schritt ein neues Rechtswesen. Als Erstes wurde die Folter weitgehend abgeschafft. Ebenso das Recht des Königs, in Verfahren einzugreifen. Eine überall gültige Rechts- und Prozessordnung mit gleichen Rechten für alle Stände machte das Leben berechenbarer.

Wie fortschrittlich Friedrich auf diesem Gebiet dachte, zeigt eine kleine Anekdote besonders deutlich: Der Vergrößerung des königlichen Parks von Sanssouci stand eine Mühle im Weg. Aber der Müller wollte sie nicht hergeben. Als der König drohte, ihn mit Gewalt aus der Mühle holen zu lassen, soll der Müller geantwortet haben: »Das könnten Eure Majestät tun, wenn das Berliner Kammergericht nicht wäre.« Der König fasste das als Lob für das Rechtswesen in seinem Staat auf und der Müller durfte seine Mühle behalten.

Solche Geschichten trugen neben den Kriegserfolgen mit dazu bei, dass Friedrich schon zu Lebzeiten »der Große« genannt und sehr verehrt wurde.

Auch in Glaubensfragen war er für seine Zeit ein toleranter Herrscher. »In meinem Staat kann jeder nach seiner Façon selig werden«, lautet einer seiner bekanntesten

Aussprüche. Wichtig war ihm vor allem, dass die Menschen ihre Bürgerpflichten erfüllten. Welche Pflichten das waren, legte der Stand fest, in den man hineingeboren wurde. Und an der Ständeordnung rüttelte Friedrich nicht. Sie entsprach seiner Meinung nach der Natur des Menschen. Aber innerhalb seines Standes sollte jeder zufrieden leben können.

Friedrich der Große war ein Mensch, der Gegensätze in sich vereinte, die beinahe unvereinbar erscheinen: Zum einen war er ein hoch gebildeter, künstlerischer Mensch und als solcher für die fortschrittlichen Gedanken der Aufklärer offen. Zum andern war er oberster preußischer Offizier und Beamter, und da galten nur Disziplin und unbedingter Gehorsam. Diese Gegensätze machten ihn zu einem »aufgeklärten Absolutisten«. Die Macht lag zwar immer noch ungeteilt in seinen Händen, aber er benutzte sie nicht mehr willkürlich – »despotisch« –, sondern im Rahmen der Gesetze.

Unter einem solchen Herrscher veränderte sich langsam das Leben in Preußen. Neben dem Soldaten- und Untertanengeist konnte sich neues Denken entfalten. So war zum Beispiel der Dichter Gotthold Ephraim Lessing während des Siebenjährigen Krieges Sekretär eines preußischen Generals und schrieb in dieser Zeit sein berühmtes Lustspiel *Minna von Barnhelm*. In seinen anderen Schriften und vor allem in dem Stück *Nathan der Weise* trat Lessing für einen vernünftigen, toleranten und humanen Umgang aller Menschen miteinander ein. Und niemand in Preußen hinderte ihn daran, am wenigsten der König.

Wo liegt Deutschland?

Seit dem Frieden von Hubertusburg herrschte auf dem Boden des Deutschen Reiches tatsächlich Frieden. Mit 30 Jahren war es eine der längsten Friedensperioden in der deutschen Geschichte. Kunst, Kultur und Wissenschaften blühten auf. Schulen und Universitäten wurden gegründet. Goethe schrieb den *Götz von Berlichingen* und *Die Leiden des jungen Werthers*, Schiller *Die Räuber* und *Don Carlos*.

In diesen langen Friedensjahren setzte auch eine breite Diskussion darüber ein, was denn Deutschland überhaupt sei und wo es liege. Das habsburgische Österreich war nicht Deutschland, das hohenzollerische Preußen ebenfalls nicht. Beide wollten auch nicht zusammengehen. Deswegen entstand sogar die Idee, zwischen den beiden Großmächten ein drittes Deutschland aus den mittleren und kleinen deutschen Ländern zu schaffen. Aber die mehr als 300 Fürsten waren viel zu sehr auf ihren eigenen Vorteil bedacht und untereinander zerstritten; die Idee blieb schon im Ansatz stecken. Überhaupt hatten die meisten Fürsten und Politiker kein großes Interesse an Deutschland.

Der Wunsch nach einer deutschen Nation, nach einem Vaterland für alle Deutschen, kam hauptsächlich von der adlig-bürgerlichen Bildungsschicht. »Dichter und Denker« schufen eine deutsche Nationalliteratur in einer einheitlichen deutschen Sprache; in ihren Köpfen enstand zuerst die Vorstellung von einer deutschen Nation. Was diese Nation zusammenhalten sollte, waren vor allem ihre Sprache und Kultur. Wenn dieses Denken und Hoffen überhaupt mit einer Person verbunden wurde, war es

Friedrich der Große – obwohl er die französische Sprache und Literatur viel mehr liebte als die deutsche.

Für die weitere deutsche Geschichte war es von großer Bedeutung, dass sich das aufkeimende Nationalbewusstsein gerade mit dem preußischen König verknüpfte. Denn damit deutete sich bereits an, wie die Lösung der deutschen Frage einmal aussehen könnte: ein vereinigtes Deutschland, geführt von Preußen, ohne Österreich. Aber bis dahin war noch ein weiter Weg.

Ein Franzose ordnet Deutschland neu

Während die deutschen Dichter und Denker noch über den richtigen Weg zu einer deutschen Nation philosophierten, wurde in anderen Ländern gehandelt.

In Amerika verkündeten die 13 Kolonien am 4. Juli 1776 ihre Unabhängigkeit von England. In der Unabhängigkeitserklärung wurden zum ersten Mal die Menschenrechte und die Verantwortlichkeit der Regierung gegenüber dem Volk formuliert:

»Folgende Wahrheiten erachten wir als selbstverständlich: dass alle Menschen gleich geschaffen sind; dass sie von ihrem Schöpfer mit gewissen unveräußerlichen Rechten begabt sind; dass dazu Leben, Freiheit und Streben nach Glück gehören; dass zur Sicherung dieser Rechte Regierungen unter den Menschen eingerichtet werden, die ihre rechtmäßige Macht aus der Zustimmung der Regierten herleiten; dass, wenn irgendeine Regierungsform sich für diese Zwecke als schädlich erweist, es das Recht des

Volkes ist, sie zu ändern oder abzuschaffen und eine neue Regierung einzusetzen und sie auf solchen Grundsätzen aufzubauen und ihre Gewalten in der Form zu organisieren, wie es zur Gewährleistung ihrer Sicherheit und ihres Glückes geboten zu sein scheint.«

In Europa dauerte es noch 13 Jahre, bis diese Aufklärungsgedanken zur Verfassungsgrundlage eines Staates wurden: Am 14. Juli 1789 begann mit dem Sturm auf die Bastille, das Staatsgefängnis in Paris, die Französische Revolution. Bereits am 26. August wurden die Menschen- und Bürgerrechte verkündet:

»1. Die Menschen werden frei und gleich an Rechten geboren und bleiben es.
2. Das Ziel jeder staatlichen Vereinigung ist die Bewahrung der natürlichen und unantastbaren Rechte der Menschen. Dies sind Freiheit, Eigentum, Sicherheit und Widerstand gegen Unterdrückung.
3. Der Ursprung jeder Herrschaft liegt seinem Wesen nach beim Volk.
4. Die Freiheit besteht darin, alles tun zu können, was einem anderen nicht schadet.
5. Das Gesetz darf nur Handlungen verfolgen, die schädlich für die Gesellschaft sind. Was nicht gesetzlich verboten ist, darf nicht behindert, was nicht gesetzlich geboten ist, nicht erzwungen werden.«

Die Französische Revolution wurde von der deutschen Geisteswelt freudig begrüßt. Diese Freude schlug aber in Entsetzen um, als die Revolution blutig wurde und massenweise Köpfe rollten. Das hatte mit Vernunft und Aufklärung nichts zu tun.

Die europäischen Großmächte schauten den Ereignissen in Frankreich nicht lange tatenlos zu. Von 1792 an kämpften sie in wechselnden Koalitionen gegen Frankreich. Zum einen, weil sie verhindern wollten, dass sich die revolutionären Ideen in Europa ausbreiteten; zum andern, weil sie, wie immer bei Kriegen, auf lohnende Beute hofften. Doch diese Hoffnung wurde enttäuscht. Frankreich war viel stärker als erwartet. Und im Verlauf der verschiedenen Kriege trat ein Mann immer mehr in den Vordergrund: Napoleon Bonaparte. Er wurde der mächtigste Herrscher in Europa und veränderte Deutschland in 20 Jahren mehr als alle deutschen Kaiser und Könige in 200 Jahren zuvor.

Nach den militärischen Erfolgen Frankreichs erkannten die Kriegsgegner 1801 den Rhein als Grenze zwischen Frankreich und dem Deutschen Reich an. Doch damit war Napoleon noch nicht zufrieden. Er wollte zwischen seinem Land und Österreich »Pufferstaaten«. Sie sollten zu schwach sein, um Frankreich anzugreifen, aber stark genug, um Frankreich gegen Österreich zu helfen. Deswegen ordnete er Deutschland neu. Die geistlichen Herrschaftsgebiete wurden säkularisiert, das heißt an weltliche Fürsten übergeben. Dabei verschwanden insgesamt 112 Reichsbistümer, Reichsabteien und Reichsstädte sowie 350 Reichsritterschaften von der politischen Landkarte. Drei Millionen Menschen wechselten ihre Herren. Die Hauptgewinner waren Baden, Württemberg und Bayern, deren Länder sehr viel größer wurden.

Als es 1805 wieder zu einem Krieg zwischen Frankreich und Österreich kam, standen die deutschen Fürsten dazwischen. Der württembergische Kurfürst klagte: »Ich muss Partei ergreifen entweder gegen Frankreich, das heißt mich von Truppen überschwemmt und feindlich behandelt sehen drei Tage nach dieser Erklärung, oder ich muss mich mit Frankreich verbünden gegen den Kaiser, das Reichsoberhaupt.«

Er entschied sich wie viele deutsche Fürsten für Napoleon, der inzwischen Kaiser der Franzosen war. Nach dem Sieg wurden sie fürstlich entlohnt. Napoleon machte Bayern und Württemberg zu Königreichen, Baden zum Großherzogtum. Und wieder war er seinem Ziel, das alte deutsche Kaiserreich zu zerstören, einen großen Schritt näher gekommen. Schon ein Jahr später hatte er es erreicht. 16 süd- und westdeutsche Länder gründeten in Paris den Rheinbund unter Führung Napoleons und erklärten ihren Austritt aus dem Reichsverband. Daraufhin legte Franz II. die Kaiserkrone nieder. Die Geschichte des Heiligen Römischen Reiches Deutscher Nation war zu Ende.

Deutschland wird »französisch«

Viele Menschen in Deutschland empfingen Napoleon durchaus mit Sympathie. Sie hofften, er werde die Errungenschaften der Französischen Revolution, vor allem Freiheit und Gleichheit, bringen. Und anfangs sah es auch so aus, als würden diese Hoffnungen wenigstens zum Teil erfüllt. Die französischen »Satellitenstaaten« erhielten neue Verfassungen, in denen die Gleichheit aller Bürger vor dem Gesetz festgeschrieben war. Die Adelsprivilegien wurden weitgehend abgeschafft, die Bauern aus ihrer Abhängigkeit befreit und rechtlich den anderen Bürgern gleichgestellt.

Die Gewerbefreiheit wurde eingeführt. Der Staat übernahm die Aufsicht über Schulen und Kirchen und garantierte die Religionsfreiheit. Das neue Zivilgesetzbuch, der »Code Civil«, sollte auf der Grundlage der Rechtsgleichheit das Zusammenleben der Bürger regeln. Das alles waren wichtige Verbesserungen, aber von der politischen Mitbestimmung blieben die Bürger ausgeschlossen, denn ein vom Volk gewähltes Parlament gab es nicht.

Immer mehr deutsche Staaten schlossen sich dem Rheinbund an und wurden »französisch«. Schließlich standen nur noch Preußen und Österreich außerhalb. Aber auch sie gerieten in Zugzwang. »Wir müssen reformieren, um nicht zu revolutionieren, zu jenem helfe, vor diesem schütze Gott«, beschrieb ein preußischer Beamter die Lage.

Die Freiherren vom Stein und von Hardenberg wurden zu den wichtigsten Reformern in Preußen. Dabei orientierten sie sich in vielem an Frankreich: Die Bauern wurden persönlich frei und konnten ihren Beruf frei wählen; der Adel verlor seine Privilegien; die Bürger in den Städten erhielten das Recht, einen Stadtrat zu wählen, der die Stadt verwaltete; Juden wurden den anderen Staatsbürgern gleichgestellt; der mittelalterliche Zunftzwang wurde aufgehoben und die Gewerbefreiheit eingeführt; das veraltete Heer wurde modernisiert, die Prügelstrafe abgeschafft; Wilhelm von Humboldt reformierte die Bildung und das Schulwesen.

Ziel all dieser Reformen war, aus den preußischen Untertanen selbstständig denkende Bürger zu machen, die verantwortungsbewusst im Staat mitarbeiteten. Am Ende sollte eine Volksvertretung stehen, die dem König gleichberechtigt gegenübertrat.

Diese Reformen gingen dem österreichischen Herrscher viel zu weit. Er und seine Regierung ließen allenfalls
ein paar »Reförmchen« zu. Wirklich reformiert wie Preußen wurde Österreich nicht.

Die Deutschen befreien sich von Napoleon

Schon bald regte sich Opposition gegen die französische
Dominanz in Deutschland, die von vielen als Besatzung
empfunden wurde. Auch die Unterwürfigkeit ihrer
Regierungen gegenüber Napoleon fanden immer mehr
Bürger beschämend und unwürdig.

Der Philosoph Johann Gottlieb Fichte forderte seine
Landsleute in den *Reden an die deutsche Nation* auf, sich
»Charakter anzuschaffen« und wieder Deutsche zu werden. »Lassen wir nur nicht mit unserm Körper zugleich
auch unsern Geist niedergebeugt und unterworfen und in
die Gefangenschaft gebracht werden!«

Der Historiker und Schriftsteller Ernst Moritz Arndt
ging noch weiter und schrieb vom »Hass gegen die Franzosen«, der nötig sei, um die Freiheit wiederzuerkämpfen.

In diese nationale Aufbruchstimmung hinein platzte die
Nachricht, dass Napoleons 600 000 Mann starke Armee in
Russland vernichtend geschlagen worden sei. Der als un-
besiegbar geltende Napoleon war besiegt worden, das
machte den Deutschen Mut. Gleichzeitig war die Trauer
groß, weil etwa 200 000 Soldaten der französischen Armee
aus den deutschen Rheinbundstaaten stammten. Von diesen 200 000 kehrten nur wenige tausend in ihre Heimat zu-

rück. Das steigerte den Hass auf die Franzosen noch und führte zu einer nationalen Welle, von der bald auch der preußische König mitgerissen wurde. Am 17. März 1813 appellierte er an das Nationalgefühl der Preußen und anderen Deutschen und rief zum Krieg gegen Frankreich auf. Aber auch ohne diesen Aufruf waren viele Männer bereit, für die Freiheit und das Vaterland zu kämpfen. Zum ersten Mal musste das Volk nicht in einen Krieg gezwungen werden, denn nicht die Fürsten, sondern das Volk wollte diesen »Befreiungskrieg«. Die französische Armee wurde von der Koalition aus Preußen, Russland, England, Schweden und Österreich in der »Völkerschlacht« bei Leipzig (16.–19. Oktober 1813) geschlagen. Im Frühjahr 1814 zogen die Verbündeten in Paris ein. Die Rheinbundstaaten kündigten ihr Bündnis mit Napoleon, der abdanken musste und auf die Insel Elba verbannt wurde. Die französische Herrschaft über Deutschland und Europa war zu Ende.

Was ist des Deutschen Vaterland?

Nach der Befreiung von dem »französischen Unterdrücker« träumten viele Menschen von einem vereinten Deutschland, in dem das Volk mitbestimmen und mitregieren sollte. Aber genau davor hatten die europäischen Fürsten Angst. Auf dem »Wiener Kongress« vom Herbst 1814 bis zum Sommer 1815 wollten sie Europa neu ordnen – und dabei möglichst viel beim Alten lassen. Vor allem der österreichische Kanzler Fürst Metternich hätte die Uhr am liebsten zurückgedreht, um die Zustände vor 1789 wieder herzustellen. Dabei bereitete »die deutsche Frage« wieder einmal besondere Probleme. Während Ernst Moritz Arndt in einem Gedicht forderte, »das ganze Deutschland soll es sein«, wollten weder die deutschen noch die anderen europäischen Fürsten so ein »ganzes Deutschland«. Das schien allen zu groß und zu mächtig.

Stattdessen schufen sie einen »Deutschen Bund«, in dem die 35 souveränen deutschen Staaten und vier Freie Städte locker zusammengeschlossen waren. Deren Vertreter bildeten den »Bundestag«, der unter österreichischem Vorsitz in Frankfurt tagte. Doch in diesem Bundestag saßen nur die Gesandten der Regierungen, keine Volksvertreter. Die Macht lag wie bisher bei den Fürsten.

Die Menschen waren sehr enttäuscht. Dafür hatten sie in den Befreiungskriegen nicht gekämpft. Vor allem die bürgerliche Bildungsschicht stritt nun in Schriften und Reden für Verfassungen und einen Nationalstaat.

Während sich die Mehrheit der deutschen Bevölkerung bald wieder ins Privatleben zurückzog, schlossen sich an den Universitäten freiheitlich denkende – »liberale« – Studenten und Professoren in den so genannten »Burschenschaften« zusammen. Im Jahr 1817 feierten 500 von ihnen auf der Wartburg den 300. Jahrestag der Reformation. An diesem historischen Ort forderten sie unter schwarz-rot-goldenen Fahnen ein einiges, freies Deutschland, verbrannten Bücher mit rückwärtsgewandtem – »reaktionärem« – Inhalt, eine preußische Uniform und einen österreichischen Korporalstock.

Solche Demonstrationen provozierten die Fürsten natürlich. Und als am 23. März 1819 der Theologiestudent Carl Sand den Schriftsteller August von Kotzebue erstach, weil der als Anhänger der Fürsten und russischer Spion galt, war das für die Obrigkeit Anlass zum Handeln. Wieder war es Metternich, der auf harte Maßnahmen drängte. In den »Karlsbader Beschlüssen« wurden die Burschenschaften verboten und aufrührerische »radikale« Studenten zu Festungshaft verurteilt. Etliche Professoren wurden entlassen, die Universitäten von der Polizei überwacht. Zeitungen, Flugblätter und politische Schriften durften »erst dann gedruckt werden, wenn sie vorher von den Regierungen genehmigt worden sind« – mit anderen Worten: Es herrschte »Zensur«.

In Österreich und Preußen wurden diese Beschlüsse besonders streng angewandt, um die alten Monarchien zu retten. Doch selbst Metternich ahnte, dass sich die freiheitlichen Kräfte nicht mehr dauerhaft unterdrücken ließen. Seinem Tagebuch vertraute er an: »Mein geheimster Gedanke ist, dass das alte Europa am Anfang seines Endes ist.«

Wieder keine Revolution

Nach so vielen Umwälzungen, Kämpfen und Kriegen sehnten die Menschen sich nach Ruhe. Die große Mehrheit des Volkes nahm auch die Einschränkungen durch die Karlsbader Beschlüsse widerstandslos hin. Man zog sich von der Politik zurück, und wer es sich leisten konnte, widmete sich dem privaten Glück, das vor allem in einem behaglichen Familienleben bestand. Dazu gehörten Hausmusik und Spiele ebenso wie gemeinsame Spaziergänge und Ausflüge. Die revolutionären Gedanken überließ man wieder ganz den Dichtern, Denkern und Künstlern. Aber auch die besangen jetzt lieber die Natur und romantische Gefühle. Franz Schubert komponierte *Am Brunnen vor dem Tore* und das *Heidenröslein*, Eduard Mörike dichtete »Frühling lässt sein blaues Band wieder flattern durch die Lüfte …« und Caspar David Friedrich malte seine Landschaftsbilder. Kurz: »Romantik« war angesagt.

Der Maler Carl Spitzweg hat das idyllisch-beschauliche Leben der Kleinstädter in vielen Bildern dargestellt. Später wurde diese Zeit etwas spöttisch das »Biedermeier« genannt. Der »deutsche Michel« als das Sinnbild des deutschen Bürgers tauchte hier zum ersten Mal auf: treuherzig, gemütlich, verschlafen und ziemlich naiv tappte er durch Zeitungen und Journale. Die biedermeierliche Idylle währte allerdings nicht lange. Ohnehin war für die meisten Menschen das Leben auch in diesen Friedenszeiten nicht idyllisch. Sie mussten für ihr tägliches Brot schwer arbeiten und hatten kaum Muße für romantische Gefühle.

Und es gab immer noch Menschen, die nicht nur an ihr privates Glück dachten, sondern von einem Vaterland für alle Deutschen träumten. Als es im Juli 1830 in Paris zu Straßenkämpfen kam, in deren Folge der französische König floh und die Regierung abgesetzt wurde, schwappte die Revolutionswelle schnell über ganz Europa. In Deutschland erhielt die Einheits- und Freiheitsbewegung neuen Auftrieb.

Aufstände in mehreren deutschen Ländern führten dazu, dass die Fürsten dem Volk Verfassungen und Landtage zugestehen mussten. Die neue Bewegung gipfelte im »Hambacher Fest«, zu dem am 27. Mai 1832 etwa 30 000 Menschen kamen. Für damalige Verhältnisse war das eine gewaltige Zahl. Der liberale Publizist Siebenpfeiffer hielt eine flammende Rede: »Leuchtende Strahlen der Hoffnung zucken auf, die Strahlen der Morgenröte deutscher Freiheit, und bald, bald wird ein Deutschland sich erheben, herrlicher, als es jemals gewesen ... Ja, es wird kommen der Tag, wo ein gemeinsames deutsches Vaterland sich erhebt, das alle Söhne als Bürger begrüßt und alle Bürger mit gleicher Liebe, mit gleichem Schutz umfasst ... Wir selbst wollen, wir müssen vollenden das Werk, und ich ahne, bald, bald muss es geschehen, soll die deutsche, soll die europäische Freiheit nicht erdrosselt werden von den Mörderhänden der Aristokratie.«

Aber wieder schlugen die Fürsten – immer noch angeführt von Metternich – zurück, die Presse wurde noch mehr geknebelt, Liberale, Demokraten, Patrioten wurden verhaftet und verurteilt. Wieder hatte es in Deutschland nicht zu einer richtigen Revolution gereicht. Das Volk hatte auch diesmal den großen Aufstand gegen die Mächtigen nicht gewagt. Über vereinzelte Barrikadenkämpfe war der Versuch einer Revolution nicht hinausgekommen.

König Ernst August von Hannover erklärte sogar die neue Verfassung wieder für ungültig. Dagegen wehrten sich gerade mal sieben Göttinger Professoren, unter ihnen die »Märchen-Brüder« Jakob und Wilhelm Grimm. Die »Göttinger Sieben« verloren ihre Ämter und mussten fliehen.

Noch heute hängt ein Porträt des Königs Ernst August in der Aula der Göttinger Universität. Auch in anderen Städten wurden Fürsten oft großzügig mit Denkmälern bedacht. Dagegen tat und tut man sich in Deutschland stets schwer mit Denkmälern für Freiheitskämpfer und Demokraten.

Die Schlagbäume fallen

Der Weg zu einem vereinten Deutschland war mühsam: zwei Schritte vor, einer zurück – und manchmal auch umgekehrt. Diesem Schneckentempo in der staatlich-politischen Entwicklung standen wichtige Erfindungen und Entdeckungen der Naturwissenschaftler und Techniker gegenüber. Dampfmaschine, Eisenbahn und Telegraf veränderten in dieser Zeit die Welt rasanter, grundlegender und dauerhafter als die Taten und Untaten von Fürsten, Heerführern und Revolutionären. Etwas zugespitzt könnte man sagen: Nicht Philosophen und Staatsmänner, sondern Fabrikanten und Eisenbahnbauer schufen die Grundlagen für die nationale Einheit.

Mit der Wirtschaft müsse man anfangen, erklärte der Schwabe Friedrich List. Zuerst müssten die Schlagbäume zwischen den vielen Einzelstaaten beseitigt werden, dann würden die Grenzpfähle bald von selbst fallen. Das Zaubermittel auf dem Weg nach Deutschland war für ihn die Eisenbahn. Sie sollte die Kleinstaaterei überwinden und die deutsche Nation »zu einem streitbaren und kraftvollen Körper verbinden«. Friedrich List wurde von den Fabrikanten und Händlern unterstützt, die einen großen deutschen Markt forderten, damit Waren ungehindert und möglichst billig von einem Ort zum andern gelangen konnten. Nach schwierigen Verhandlungen gründeten 18 Staaten unter Führung Preußens den »Deutschen Zollverein« und am 1. Januar 1834 fielen zwischen ihnen die Zollschranken. Am 7. Dezember 1835 fuhr, von vielen Menschen noch für eine gefährliche Teufelsmaschine gehalten, die erste Eisenbahn in

Deutschland auf der sechs Kilometer langen Strecke von Nürnberg nach Fürth.

Zehn Jahre später umfasste das Eisenbahnnetz schon 2131 Kilometer und es wuchs rasch weiter. Die Eisenbahnindustrie wurde ein wichtiger Industriezweig.

Dem Deutschen Zollverein schlossen sich nach und nach die anderen deutschen Staaten an. Nur Österreich blieb draußen und betrachtete die Entwicklung mit Sorge. Denn hier deutete sich eine Lösung der deutschen Frage ohne Österreich an.

Die feierliche Eröffnung der ersten deutschen Eisenbahnstrecke von Nürnberg nach Fürth im Jahre 1835.

Die »soziale Frage« verlangt Antworten

Die von England ausgehende Industrialisierung veränderte das Leben der Menschen in kurzer Zeit so grundlegend, dass man auch von einer »industriellen Revolution« spricht. Fabriken wurden gebaut, in denen immer mehr Maschinen den Menschen immer mehr Arbeiten abnahmen. Da die meisten Menschen aber außer ihrer Arbeitskraft kaum etwas besaßen, waren sie auf Arbeit angewiesen. Und weil es mehr Arbeitsuchende als Arbeitsplätze gab, konnten die Fabrikanten die Löhne sehr niedrig halten. Aber selbst wer Arbeit hatte, konnte durch Krankheit oder Unfall in Not geraten – und mit ihm die ganze Familie.

Der junge Dichter Georg Büchner kritisierte die herrschenden Zustände in Flugschriften:

»Das Leben der Vornehmen ist ein langer Sonntag; sie wohnen in schönen Häusern, sie tragen zierliche Kleider, sie haben feiste Gesichter und reden eine eigene Sprache.« Das Leben der Bauern und Arbeiter dagegen sei »ein langer Werktag«. Leben heiße für sie »hungern und geschunden werden«. Büchners Kritik gipfelte in dem Ausruf: »Friede den Hütten, Krieg den Palästen!«

In manchen Gegenden Deutschlands wurde die Not so drückend, dass sogar die Kinder für ein paar Groschen arbeiten mussten. So in Schlesien, wo die Leinenweber mit der industriellen Fertigung von Stoffen nicht mehr konkurrieren konnten. Ihr Verdienst sank unter das Existenzminimum und sie drohten zu verhungern. In ihrer Verzweiflung marschierten sie im Juni 1844 zu den Fabriken, zerstörten die Maschinen und verbrannten die Geschäftsbücher, in denen ihre Schulden verzeichnet waren.

Der Aufstand wurde vom preußischen Militär blutig niedergeschlagen. Heinrich Heine schrieb dazu sein Gedicht *Die schlesischen Weber*. In einer Strophe heißt es:

> Ein Fluch dem König, dem König der Reichen,
> Den unser Elend nicht konnte erweichen,
> Der den letzten Groschen von uns erpresst,
> Und uns wie Hunde erschießen lässt.

Aber mit Waffen waren die Probleme auf Dauer nicht zu lösen. Die soziale Frage verlangte andere Antworten. Vor allem als die Lage der armen Bevölkerung durch Missernten in Deutschland und ganz Europa immer bedrohlicher wurde. Viele Menschen waren überzeugt, nur noch eine radikale Veränderung der Verhältnisse könne helfen. Am schärfsten formulierten das Karl Marx und Friedrich Engels in ihrem *Kommunistischen Manifest*, das sie im Februar 1848 veröffentlichten. Darin plädierten sie für »einen gewaltsamen Umsturz aller bisherigen Gesellschaftsordnung. Mögen die herrschenden Klassen vor einer kommunistischen Revolution zittern. Die Proletarier haben in ihr nichts zu verlieren als ihre Ketten. Sie haben eine Welt zu gewinnen. Proletarier aller Länder, vereinigt euch!«

Der Boden für die Revolution war bereitet. Aber wieder bedurfte es eines Anstoßes von außen. Und wie schon 1830 kam dieser Anstoß aus Paris. Dort wurden am 24. Februar 1848 der König und seine Regierung gestürzt, die Republik ausgerufen und eine provisorische Regierung eingesetzt. Die Nachricht verbreitete sich rasch in ganz Europa. In fast allen deutschen Ländern kam es im März zu Demonstrationen und Straßenkämpfen. Am 13. März musste der verhasste Staatskanzler Fürst Metternich, der fast 40 Jahre lang die reaktionäre Politik in Deutschland bestimmt hatte, abdanken und aus Wien fliehen. Am 15. März versprach der österreichische Kaiser eine Verfassung und die Abschaffung der Zensur.

Drei Tage später versammelten sich viele Menschen vor dem Berliner Schloss, um dem preußischen König ihre Forderungen zu überbringen. Plötzlich schoss die Schlosswache zweimal. Das war für die Menschen das Signal zum offenen Aufstand. In den folgenden Straßenkämpfen

Straßenkampf in Berlin. Das Bild zeigt die Barrikade an der Kronen- und Friedrichstraße am 18. März 1848. Aus den Bleifassungen von Fensterscheiben werden gleich hinter der Barrikade Gewehrkugeln gegossen.

fielen 254 Aufständische, darunter acht Frauen und drei Kinder. König Friedrich Wilhelm IV. fürchtete eine Ausweitung des Bürgerkrieges und zog seine Truppen zurück. Die Toten wurden vor dem Schloss aufgebahrt und der König musste sich mit entblößtem Haupt vor ihnen verneigen. Noch nie war ein König in Deutschland so gedemütigt worden.

In einem Aufruf »An mein Volk und an die deutsche Nation« versprach er die Einheit Deutschlands und Verfassungen in allen deutschen Ländern. Wenig später bewilligte er allgemeine Wahlen zu einer preußischen verfassunggebenden Nationalversammlung.

Auch andere deutsche Fürsten gaben dem Volkswillen nach, beriefen liberale Minister (Märzminister) und versprachen Reformen.

Aber es gab Leute, die den Versprechungen der Fürsten nicht trauten und die Sache des Volkes lieber selbst in die Hand nehmen wollten. Die trafen sich am 31. März in Frankfurt, um das weitere Vorgehen zu beraten. Die radikalen Kräfte forderten das Ende der Fürstenherrschaft und die Demokratie. Der badische Abgeordnete Friedrich Hecker erklärte: »Ich will die Freiheit, die ganze Freiheit, für alle, gleichviel in welcher Staatsform sie zu erreichen ist. Aber keine Freiheit nur für die Privilegierten oder für die Reichen; ich bin, wenn ich es mit einem Wort benennen soll, Sozialdemokrat.«

Den Liberalen ging eine soziale Demokratie zu weit. »Ich will keine Pöbelherrschaft, kein Liebäugeln mit dem Pöbel«, hielt Heinrich von Gagern dem Sozialdemokraten Hecker entgegen. So wie er dachte die Mehrheit der in Frankfurt Versammelten; man wollte lieber mit den Re-

gierungen zusammenarbeiten als eine Revolution. Da verließ Hecker Frankfurt und marschierte mit seinen An-
hängern nach Konstanz, wo er am 12. April die Republik
ausrief und zur bewaffneten Erhebung aufforderte. Schon
eine Woche später wurden die badischen Revolutionäre
im Südschwarzwald von Bundestruppen vernichtend geschlagen.

Einigkeit und Recht und Freiheit

Am 18. Mai 1848 traten 586 gewählte Volksvertreter in der
Frankfurter Paulskirche zur Deutschen Nationalversammlung zusammen. Die Zusammensetzung dieses ersten gesamtdeutschen Parlaments war jedoch alles andere
als repräsentativ: Die Abgeordneten gehörten überwie-
gend dem akademischen Bildungsbürgertum an. Handwerker waren kaum, die Bauern durch einen Abgeordneten und Arbeiter überhaupt nicht vertreten. Bald sprach
man von einem »Honoratioren-« oder »Professorenpar-
lament«. Unabhängig davon bildeten sich allmählich drei
politische Hauptrichtungen heraus: Je nachdem, wo die
Abgeordneten vom Präsidenten aus gesehen saßen, nannte man sie die Rechten, die Mitte oder die Linken. Rechts
saßen die »Konservativen«, die möglichst wenig an den
bestehenden Verhältnissen ändern wollten; in der Mitte
saßen die Liberalen, die eine »konstitutionelle«, in eine
Verfassung eingebundene Monarchie mit möglichst viel
Freiheiten für die Bürger anstrebten; links saßen die Ver-
fechter einer demokratischen und sozialen Republik.

In den ersten Monaten wurden die Grundrechte beraten. Danach ging es vor allem um folgende Fragen:

1. Soll Deutschland eine konstitutionelle Monarchie oder eine Republik werden?
2. Soll es ein zentralistischer Einheitsstaat oder ein »föderalistischer« Bundesstaat aus selbstständigen Einzelstaaten werden?
3. Soll es »großdeutsch« mit Österreich oder »kleindeutsch« unter Führung Preußens sein?
4. Wie soll das Wahlrecht aussehen?

Nach langen Debatten, bei denen viele kluge Reden gehalten wurden, entschied sich die Mehrheit für die kleindeutsche Lösung mit einer starken Zentralgewalt bei Weiterbestand der Einzelstaaten. An der Spitze des Reiches sollte der preußische König als »Kaiser der Deutschen« stehen, mit dem Recht, die Reichsregierung zu ernennen. Das Recht zur Gesetzgebung und zur Kontrolle der Regierung sollte bei dem vom Volk gewählten Reichstag liegen.

Als die Verfassung am 28. März 1849 endlich fertig war, machte sich eine Delegation der Abgeordneten auf den Weg nach Berlin, um dem preußischen König die Kaiserkrone anzubieten. Aber Friedrich Wilhelm IV. lehnte ab. Er betrachtete sich als König von Gottes Gnaden und wollte keine »Schweinekrone« aus den Händen von Volksvertretern, an der noch der »Ludergeruch der Revolution« hafte, wie er es nannte. »Gegen Demokraten helfen nur Soldaten!«, soll er gesagt haben. Und bald marschierten die Soldaten auch wieder.

Viele Abgeordnete waren so enttäuscht, dass sie die

Paulskirche verließen. Als ein »Rumpfparlament« sich nach Stuttgart zurückzog und dort weitertagen wollte, wurden die Volksvertreter von Soldaten auseinandergejagt. Es kam noch einmal zu Aufständen in Sachsen, Westfalen und Baden. Doch preußische Truppen besiegten nach dreiwöchigem Kampf die letzten Revolutionstruppen. Dann folgte wie immer die Rache der alten Mächte: Die »Rädelsführer« wurden standrechtlich erschossen und an die tausend Revolutionäre zu hohen Zuchthausstrafen verurteilt. Viele Demokraten und Liberale konnten sich nur durch die Flucht ins Ausland retten.

Wieder einmal hatten die Deutschen versucht, Freiheit und Einheit mit Reden und auf dem Papier zu erreichen, und waren damit gescheitert. Wer Freiheit und Einheit wolle, hatte der König von Hannover gesagt, müsse »durch Blut bis an die Brust« gehen. Aber dazu war die Mehrheit der Abgeordneten und des Volkes nicht bereit gewesen. »Einigkeit und Recht und Freiheit für das deutsche Vaterland«, wie Hoffmann von Fallersleben in seinem *Lied der Deutschen* ein paar Jahre zuvor gedichtet hatte, waren wieder in weite Ferne gerückt.

Durch Eisen und Blut zum Ziel

Nach dem Scheitern der Revolution bildeten die deutschen Staaten wie zuvor einen lockeren Bund, in dem Preußen und Österreich wieder um die Vorherrschaft stritten. Auch sonst drehten die Mächtigen das Rad langsam wieder zu der vorrevolutionären Ordnung zurück, während die wirtschaftliche Entwicklung sich gleichzeitig mit Riesenschritten in Richtung 20. Jahrhundert bewegte.

Zum neuen starken Mann der deutschen Politik wurde der preußische Ministerpräsident Otto von Bismarck. Kaum im Amt, sagte er am 30. September 1862: »Nicht auf Preußens Liberalismus sieht Deutschland, sondern auf seine Macht; nicht durch Reden und Majoritätsbeschlüsse werden die großen Fragen der Zeit entschieden – das ist der große Fehler von 1848 und 1849 gewesen – , sondern durch Eisen und Blut.« Bismarcks Ziel war ein starker deutscher Nationalstaat unter preußischer Führung. Und dafür war ihm jedes Mittel recht. Schon 1853 hatte er geschrieben, in Deutschland sei für Preußen und Österreich nebeneinander »kein Platz. Wir atmen einer dem anderen die Luft vor dem Munde fort, einer muss weichen.« Und 1866 erklärte er: »Wir brauchen Krieg, nur Krieg.«

Er bekam seinen Krieg. Den Anlass boten Streitigkeiten um die Herzogtümer Schleswig und Holstein. Im Juni 1866 trat Preußen aus dem Deutschen Bund aus und provozierte einen Krieg gegen Österreich und seine Verbündeten. In der Schlacht von Königgrätz siegten die preußischen Truppen am 3. Juli 1866 unerwartet schnell. Im anschließenden Frieden von Prag wurde der Deutsche Bund aufgelöst und Österreich aus Deutschland hinausgedrängt. Preußen schloss sich mit den Staaten nördlich des Mains zum »Norddeutschen Bund« zusammen.

Bis dahin hatte Bismarck seine Politik ohne Zustimmung des Landtags betrieben. Deswegen wurde er besonders von den Liberalen abgelehnt. Stellvertretend für viele hatte Professor Rudolf von Ihering vor dem Krieg geschrieben: »Mit einer solchen Schamlosigkeit, einer solchen grauenhaften Frivolität ist vielleicht nie ein Krieg angezettelt worden wie der, den Bismarck gegenwärtig zu erheben sucht. Das innerste Gefühl empört sich über einen solchen Frevel an allen Grundsätzen des Rechts und der Moral. Ach! was müssen wir erleben, welche grauenhafte Zukunft steht uns bevor.« Nach dem siegreichen Krieg änderte er seine Meinung total: »Ich beuge mich vor dem Genie eines Bismarck. Wie wunderbar hat der Mann alle Fäden des großartigen Gewebes gesponnen. Was uns Uneingeweihten als freventlicher Übermut erschien, es hat sich hinterher herausgestellt als unerlässliches Mittel zum Ziel. Ich gebe für einen solchen Mann der Tat hundert Männer der liberalen Gesinnung, der machtlosen Ehrlichkeit!«

Wie Professor von Ihering wurden viele Menschen von Gegnern zu Befürwortern der bismarckschen Politik. Und der preußische Landtag billigte nachträglich sogar das nicht verfassungsgemäße Handeln des Ministerpräsidenten. Immer mehr Deutsche sahen in ihm den Mann, der den alten Traum von der Einheit Deutschlands verwirklichen konnte.

Diese neue nationale Welle wollte Bismarck ausnutzen und die süddeutschen Staaten mit dem Norddeutschen Bund verbinden. Als Mittel dazu diente ihm wieder ein Krieg, ein Krieg gegen den gemeinsamen Feind Frankreich. Durch geschicktes Taktieren erreichte Bismarck, dass Frankreich Preußen und damit auch seinen Verbündeten den Krieg erklärte und vor der Welt als Aggressor dastand.

Die nationale Begeisterung, die nun ausbrach, ähnelte der vor den Befreiungskriegen. Soldaten aus ganz Deutschland marschierten gegen Frankreich und schlugen die Franzosen am 2. September 1870 in der Schlacht von Sedan.

Nach diesem gemeinsamen Sieg war die Einheit Deutschlands näher als je zuvor. Die Menschen und die öffentliche Meinung gaben keine Ruhe mehr. In dieser nationalen Hochstimmung konnten sich die süddeutschen Fürsten und Regierungen Bismarcks Plänen und damit der Einigung letztlich nicht widersetzen. Am 18. Januar 1871 wurde im Spiegelsaal von Versailles der preußische König Wilhelm zum Deutschen Kaiser Wilhelm I. ausgerufen. Das war die Geburtsstunde des Deutschen Kaiserreichs.

Endlich waren die Deutschen am Ziel ihrer Träume: Sie hatten einen Kaiser, ein Reich und drei Monate später auch eine Verfassung. Aber war dieses Kaiserreich wirklich das, wovon sie so lange geträumt hatten? Das neue Reich war ein Werk der Fürsten. Es gab zwar den von deutschen Männern in allgemeinen, gleichen und geheimen Wahlen gewählten Reichstag, aber der konnte letztlich nichts entscheiden. Und über die Regierung hatte er keinerlei Kontrolle. Sie war nur dem Kaiser verantwortlich. Er und der Reichskanzler bestimmten die Politik. Gleichzeitig waren sie König beziehungsweise Ministerpräsident von Preußen, das zwei Drittel des Reichsgebietes und drei Fünftel der Bevölkerung umfasste. Die wichtigsten Rohstoffgebiete und Industrien lagen in Preußen, und Preußen hatte die mit Abstand stärkste Armee. All das konnten der Kaiser und sein Reichskanzler falls nötig in die Waagschale werfen. Deswegen gab es nach dieser Reichsgründung auch sehr kritische Stimmen. »Maul halten – Steuern zahlen – Soldat werden!«, so brachten vor allem viele Süddeutsche ihre Meinung zu dem preußisch dominierten Kaiserreich auf den Punkt.

Sozialistengesetz und Sozialgesetze

Die Reichsgründung war eine Sache, die wirtschaftliche Entwicklung vom Agrar- zum Industriestaat war eine andere, für die Mehrzahl der Menschen in Deutschland noch viel einschneidendere Sache. Die zunehmende Industrialisierung nämlich veränderte die Arbeits- und Lebensbedingungen radikal. Sie machte aus den meisten Bauern Industriearbeiter, aus Landbewohnern Stadtmenschen. Wohnung und Arbeitsplatz wurden getrennt, die überlieferte Form der Großfamilie löste sich in den Städten langsam auf. Alles war in Bewegung.

Die Städte explodierten förmlich. Hatte Berlin 1850 noch etwa 400 000 Einwohner, so waren es um 1900 schon 2 Millionen. In Hamburg schnellte die Einwohnerzahl von 130 000 auf 700 000 hoch. So ähnlich war es auch in anderen Städten. Der Wohnungsbau konnte da nicht mehr mithalten. Als Folge stiegen die Mieten so kräftig, dass viele Zuwanderer sie nicht bezahlen konnten. Die bauten dann an den Stadträndern Bretterbuden für ihre Familien. Um diese Zeit entstanden die ersten »Mietskasernen«, in denen Arbeiterfamilien auf engstem Raum leben mussten. In Berlin hatte die Hälfte aller Familien nur einen Raum von 4 Metern Länge und 3,60 Metern Breite. Weit über 100 000 hausten in feuchten, ungesunden Kellerwohnungen. Auf der anderen Seite wuchs der Wohlstand derer, die von der boomenden Wirtschaft am meisten profitierten: Fabrikanten, Industrielle und Bankiers. Auch den meisten Adligen ging es nach wie vor gut. Sie hatten weiterhin Führungspositionen beim Militär und im Staat und viele besaßen zugleich Aktien von großen Unternehmen.

Die sozialen Gegensätze bargen eine Menge Sprengstoff für das Reich. Und Bismarck ahnte früh, dass mit fortschreitender Industrialisierung die Entstehung einer großen Arbeiterpartei unvermeidlich sein werde – wenn man ihr nicht durch Sozialreformen zumindest entgegenwirkte.

Diese Arbeiterpartei entstand aus dem am 23. Mai 1863 gegründeten »Allgemeinen deutschen Arbeiterverein« Ferdinand Lasalles. Seit 1875 nannte sie sich »Sozialistische Arbeiterpartei Deutschlands« und forderte »direkte Gesetzgebung durch das Volk«, eine »sozialistische Gesellschaft« und »die Beseitigung aller sozialer und politischer Ungleichheit«. Obwohl mit August Bebel und

Am Stadtrand von Berlin in den 1870er Jahren: Wer sich keine Wohnung leisten kann, baut sich eine Bretterbude.

Wilhelm Liebknecht nur zwei Sozialdemokraten im ersten deutschen Reichstag saßen, nahm Bismarck die Arbeiterbewegung und ihre Partei sehr ernst. Und als sie 1877 bereits eine halbe Million Stimmen erhielt, wartete er nur noch auf eine Gelegenheit, die »Reichsfeinde«, wie er die Sozialisten nannte, auszuschalten. Nachdem zwei Attentate auf den Kaiser verübt worden waren, schlug Bismarck zu: Er legte ein »Gesetz gegen die gemeingefährlichen Bestrebungen der Sozialdemokratie« vor, das vom Reichstag mit großer Mehrheit angenommen wurde und am 21. Oktober 1878 in Kraft trat. Es verbot alle sozialistischen Vereine, Versammlungen und Zeitungen. Obwohl sich bald herausstellte, dass die Sozialdemokraten mit den Attentaten nichts zu tun hatten, blieb das »Sozialistengesetz« bis 1890 in Kraft. Allerdings brachte es nicht den gewünschten Erfolg. Die Sozialdemokratie arbeitete im Untergrund weiter und blieb als politische Kraft erhalten. Als sie 1890 wieder zu den Wahlen zugelassen wurde, erhielt sie die meisten Wählerstimmen. Bismarcks Politik der Ausgrenzung der Arbeiterpartei aber wirkte lange nach. Sie verhinderte letztlich die Integration der Arbeiterschaft in den Staat. Daran änderte auch die für die damalige Zeit vorbildliche Sozialgesetzgebung – Versicherung gegen Krankheit, Unfall, Alter und Invalidität – nichts, mit der Bismarck die Arbeiter für den Staat zu gewinnen suchte.

Noch heute gehen die Meinungen über den »Eisernen Kanzler«, wie Bismarck genannt wurde, auseinander. Von manchen wird er als genialer Politiker und Reichsgründer verehrt. Andere halten ihn für einen skrupellosen preußischen Junker, der für die Erreichung seiner Ziele über Leichen ging. Tatsächlich war er beides.

Die gute alte Zeit?

Trotz der industriellen Revolution und der Modernisierung aller Lebensbereiche glich der Gesellschaftsaufbau des Kaiserreiches nach wie vor der mittelalterlichen Ständeordnung:

An der Spitze stand der Kaiser. Dann kam der Adel. Zu ihm traten die reichen und wirtschaftlich einflussreichen »Großbürger«, die den Lebensstil des Adels nachahmten und sich bemühten, einen Adelstitel zu erwerben. Ein »von« vor dem Namen bedeutete gesellschaftlichen Aufstieg.

Den zweiten Stand bildete das so genannte »Besitz- und Bildungsbürgertum»: Kaufleute, Fabrikanten, Bankiers sowie Ärzte, Juristen, Professoren und Gymnasiallehrer. Um standesgemäß auftreten zu können, gaben sie viel Geld aus, und manche lebten dabei auch über ihre Verhältnisse.

Unter ihnen gab es noch, ebenfalls zum zweiten Stand zählend, die »Kleinbürger«: Handwerker, kleine Kaufleute, Beamte und Angestellte in Handel, Dienstleistungsgewerbe und Industrie. Sie orientierten sich nach oben, obwohl sie dort nur belächelt wurden, und grenzten sich nach unten scharf ab. Sie wollten keinesfalls zum dritten Stand gerechnet werden, auch die nicht, denen es materiell kaum besser ging als vielen Arbeitern. Die nämlich bildeten, zusammen mit den Bauern, diesen untersten, dritten Stand.

Wie im alten Preußen kam es auch im neuen Deutschen Reich zu einer Militarisierung aller Lebensbereiche. Wenn sich ein Mann um eine Anstellung bewarb, lautete die erste Frage: »Ham se jedient?« Wer nicht gedient hatte, konnte auch bei den besten Empfehlungen meistens gleich wieder »abtreten«.

»Ein junger Kaufmann will bei uns nicht aussehen wie ein junger Kaufmann, sondern wie ein Leutnant in Zivil. Und ein Jüngling allerbürgerlichster Herkunft schafft sich, wenn er Ehrgeiz hat, zunächst ein Monokel an und dann diesen imponierenden königlich-preußischen Schnarrton«, sagte der SPD-Abgeordnete Wendel im Reichstag. Diese Zeit haben Heinrich Mann in *Der Untertan* und Carl Zuckmayer in seinem *Hauptmann von Köpenick* treffend beschrieben.

Dem Aufbau der Gesellschaft entsprechend gab es in Preußen das Dreiklassenwahlrecht (jede Klasse konnte ein Drittel der Abgeordneten wählen) und im ganzen Reich wurde das dreigliedrige Schulsystem eingeführt. Die Ein-

Hedwig Dohm (1831–1919) war Mutter von fünf Kindern, als sie im Alter von 30 Jahren zu schreiben und für die Rechte der Frauen zu streiten begann. Ein halbes Jahr vor ihrem Tod erlebte sie noch, wie eine ihrer wichtigsten Forderungen endlich durchgesetzt wurde: das Wahlrecht für Frauen.

führung der achtjährigen »Volksschule« mit einer Schulpflicht für alle Kinder war ein großer Fortschritt und führte dazu, dass in Deutschland bald mehr Kinder lesen und schreiben konnten als in allen anderen Ländern. Trotzdem blieb es für Arbeiter- und Bauernkinder schwer, in der Gesellschaft aufzusteigen, was »oben« auch nicht gewünscht wurde. Kaiser Wilhelm II. ordnete an, dass »die Schule durch Pflege der Gottesfurcht und der Liebe zum Vaterland die Grundlage für eine gesunde Auffassung auch der staatlichen und gesellschaftlichen Verhältnisse zu legen habe«. Jeder solle wissen, wo sein Platz ist, und nur die für seinen Beruf nötigen Kenntnisse erwerben.

Da der Platz der Frauen durch die drei »K« Kinder, Küche, Kirche festgelegt war, sollten sie auch nur lernen, was sie dafür brauchten. Rechtlich war die Frau dem Mann untergeordnet und sozial von ihm abhängig. Viele Frauen sahen es als natürlich an, von der Obhut des Vaters in die des Ehemannes übergeben zu werden. Ihre große Angst war, als »alte Jungfer« sitzen zu bleiben.

Nur sehr langsam änderte sich an der Benachteiligung von Mädchen und Frauen etwas. Mutige, kluge Frauen wie Luise Otto-Peters, Auguste Schmidt, Hedwig Dohm, Helene Lange und Clara Zetkin gründeten Frauenvereine und Frauenzeitschriften, in denen sie mehr Rechte forderten. »Menschenrechte haben kein Geschlecht«, lautete dabei der Wahlspruch von Hedwig Dohm.

Ab 1892 durften Mädchen erstmals in Preußen an Jungengymnasien die Reifeprüfung ablegen. Studieren durften sie allerdings erst zehn Jahre später. Und 1908 durften Frauen auch politischen Vereinen und Parteien beitreten, ohne jedoch wählen und gewählt werden zu können.

Zwar forderte die SPD seit 1891 das Wahlrecht für Frauen, konnte es allerdings erst 1918/19 durchsetzen.

Ein »Säbelrassler« auf dem Thron

Kaiser Wilhelm I. starb 1888. Weil sein Sohn Friedrich III. nur drei Monate nach der Thronbesteigung an Kehlkopfkrebs starb, wurde sein Enkel Wilhelm II. im »Dreikaiserjahr« schon mit 29 Jahren Kaiser. Er musste also nicht viele Jahre geduldig auf den Thron warten, Jahre, in denen er reifer, ruhiger, gelassener, vielleicht sogar weiser hätte werden können. Nein, der junge Wilhelm stand plötzlich an der Spitze des Reiches. In diesem Reich war er aufgewachsen, hatte als kleiner Junge die Reichsgründung, dann den wirtschaftlichen Aufschwung und den Weg zur europäischen Großmacht miterlebt. Immer größer, immer schneller, immer besser, immer mehr, lautete die Devise. Immer nur Erfolge und Siege, keine Niederlagen. So würde es immer weitergehen, so musste es immer weitergehen, das war für Wilhelm völlig klar. Jetzt war es sein Reich und er wollte darin bestimmen. Nicht der Kanzler und nicht der Reichstag, den er ohnehin für ein lästiges Übel hielt. »Ich führe euch herrlichen Zeiten entgegen!«, verkündete er.

Und nicht nur die Politik, auch Wissenschaft und Kunst sollten nach der Pfeife des jungen Kaisers tanzen. »Eine Kunst, die sich über die von Mir bezeichneten Gesetze und Schranken hinwegsetzt, ist keine Kunst mehr. Die Kunst soll mithelfen, erzieherisch auf das Volk einzuwirken, sie soll den unteren Ständen nach harter Mühe und Arbeit die Möglichkeit geben, sich an dem Idealen wieder aufzurichten. Wenn nun die Kunst, wie es jetzt vielfach geschieht, weiter nichts tut, als das Elend noch scheußlicher hinzustellen, wie es schon ist, dann versündigt sie sich damit am deutschen Volk.«

Sozialkritische »Naturalisten«, Schriftsteller, die die Welt so zeigen wollten, wie sie wirklich war, wurden verdächtigt, mit den Sozialdemokraten gemeinsame Sache zu machen und damit, wie diese, »Vaterlandsfeinde« zu sein. Als Gerhart Hauptmanns Drama *Die Weber* 1892 erschien, durfte es an den Theatern nicht aufgeführt werden.

Auch Künstler wie Wassily Kandinsky, Franz Marc und Paul Klee, die zu Beginn des 20. Jahrhunderts neue Ausdrucksformen suchten, waren unerwünscht. Die Kunst hatte deutsche Größe und Größen aus Vergangenheit und Gegenwart darzustellen, am liebsten in kolossalen Denkmälern und riesigen Gemälden.

Der »Drang nach Größe« war auch das Schlagwort für Wilhelms Außenpolitik. Der alte Reichskanzler mit seiner fein gesponnenen Bündnispolitik, die ein Gleichgewicht der Kräfte in Europa geschaffen hatte, war nicht der richtige Partner für den neuen Kaiser, der »mit Volldampf voraus« wollte, wie er zu sagen pflegte. Also musste Bismarck gehen. Der Kaiser wollte selbst Außenpolitik machen. Darunter verstand er aber nicht geduldiges Aktenstudium, Gespräche und Verhandlungen mit Parteien, Interessengruppen, Botschaftern und Politikern anderer Länder; Politik machen hieß für Wilhelm II. Anweisungen geben und Reden halten. Doch »seine Reden, Interviews und Telegramme waren Katastrophen der

Diplomatie«, heißt es dazu bei dem Historiker Golo
Mann. Was Wilhelm von deutscher Größe, von Welt-
macht, trockenem Pulver und scharfen Schwertern daher-

**Der junge Wilhelm II. und der alte Bismarck konnten nicht miteinander
– so, wie sie sich hier gegenüberstehen, kann man es sogar sehen.**

schnarrte, machte das »wilhelminische« Deutschland gefürchtet und unbeliebt.

Noch zu Bismarcks Zeiten hatte der Afrikaforscher Karl Peters gesagt: »Die deutsche Nation ist bei der Verteilung der Erde leer ausgegangen. Es gilt, das Versäumte von Jahrhunderten gutzumachen.« Aber Bismarck zögerte, er war kein »Weltpolitiker«. Anders Kaiser Wilhelm II., dessen Leitspruch lautete: »Am Deutschen Wesen soll die Welt genesen.« Er und sein Reichskanzler von Bülow wollten beim Wettlauf um Kolonien und damit um Weltgeltung auch einen »Platz an der Sonne« ergattern. Dazu war vor allem eine Flotte nötig, das hatte England vorgemacht. Denn Rohstoff- und Absatzmärkte in Übersee konnten nur durch eine große Schlachtflotte erobert und gesichert werden. Also begann Deutschland mit dem Aufbau einer solchen Flotte.

Die europäischen Staaten gewannen immer mehr den Eindruck, bei dem deutschen Drang nach Größe handle es sich nun nicht mehr nur um das berühmte Säbelrasseln, zumal der Kaiser und sein Flottenchef zu ernsthaften Verhandlungen über eine Flottenbegrenzung nicht bereit waren. Vorsichtshalber schlossen England, Frankreich und Russland Verträge, die Kriege untereinander ausschließen sollten. Bald fühlte sich Deutschland isoliert und eingekreist und sah nur noch Feinde um sich. Man glaubte, noch weiter aufrüsten zu müssen, um deutsche Interessen notfalls mit Waffen durchsetzen zu können. Da die Nachbarstaaten dabei nicht tatenlos zuschauten, wurde Europa zu einem Pulverfass, das schon beim kleinsten Funken explodieren konnte.

Mit Freude in den Krieg

Am 28. Juni 1914 wurden der österreichische Thronfolger und seine Frau in der bosnischen Hauptstadt Sarajevo von serbischen Nationalisten ermordet. Die Tat sollte ein Zeichen für die Unabhängigkeitsbestrebungen der verschiedenen Nationalitäten innerhalb des Vielvölkerstaates Österreich-Ungarn sein. Aber sie löste den ersten Weltkrieg aus, einen Krieg, den niemand wirklich »gewollt« habe, wie es später hieß. Die »Männer und Mächte« seien in diesen Krieg »hineingeschlittert«, »hineingestolpert«, »hineingetaumelt«. All diese Begriffe aber klingen nach Rechtfertigung. »Männer und Mächte« schlittern und stolpern nicht einfach in einen Krieg hinein. Mit Taumeln kommt man der Sache schon näher. Es taumelt, wer nicht ganz bei Sinnen ist. Das traf auf viele große Männer zu Beginn des 20. Jahrhunderts zu. Sie waren berauscht von der Droge Macht, hielten sich und ihre Nationen für auserwählt. Übersteigerter Nationalismus, Militarismus, Wettrüsten, Sendungsbewusstsein, Weltmachtphantasien sind die passenden Begriffe für diese Zeit. Mag sein, dass den Krieg niemand wirklich gewollt hat, aber wirklich verhindern wollte ihn eben auch niemand. Es sah eher so aus, als hätten alle Seiten nur darauf gewartet, dass endlich etwas passierte, zumal in einem Krieg »nicht der große und blindwütige Zerstörer« gesehen wurde, »sondern der sorgsame Erneuerer und Erhalter, der große Arzt und Gärtner, der die Menschheit auf ihrem Weg zur Höherentwicklung begleitet«, wie zum Beispiel in den *Alldeutschen Blättern* zu lesen war.

Am ehesten hätte Deutschland den Krieg verhindern können, denn allein konnte Österreich-Ungarn gegen das mit Russland verbündete Serbien nicht vorgehen. Stattdessen sicherte der deutsche dem österreichischen Kaiser in einem persönlichen Schreiben für jeden Fall Beistand zu. Und mit diesem Freibrief für einen Krieg machte Österreich-Ungarn am 28. Juli 1914 gegen Serbien mobil, worauf Russland am 29. Juli gegen Österreich-Ungarn mobil machte. Am 31. Juli forderte Deutschland die Rücknahme der russischen Mobilmachung, erhielt aber keine Antwort. Da erklärte Deutschland am Abend des 1. August 1914 Russland den Krieg und zwei Tage später auch Frankreich. Das war nach Ansicht des Generalstabs nötig, weil man den Krieg nach dem »Schlieffen-Plan« führen wollte: Um an der Westfront Ruhe zu haben, sollte Frankreich in einem »Blitzkrieg« besiegt werden, damit anschließend mit allen Kräften gegen Russland gezogen werden konnte. Bereits am 4. August marschierten deutsche Truppen durch das neutrale Belgien nach Frankreich, was England zum Kriegseintritt veranlasste.

An diesem Tag erklärte der Kaiser vor dem Reichstag: »Ich kenne keine Parteien mehr, ich kenne nur noch Deutsche.« Damit sprach er vor allem die SPD an, die inzwischen die stärkste Partei im Reichstag war. Und tatsächlich waren die Sozialdemokraten für die Dauer des Krieges zu einem innenpolitischen »Burgfrieden« bereit, um zu beweisen, dass sie keine Reichsfeinde und vaterlandslose Gesellen waren, wie ihnen immer wieder unterstellt wurde. Mit den Stimmen der meisten Sozialdemokraten wurde das Geld für den Krieg bewilligt.

Fast überall in Europa jubelten die Menschen, und die Soldaten, darunter viele Freiwillige, zogen begeistert in den Krieg. Sie gingen davon aus, dass sie für eine gute und gerechte Sache kämpften. Und sie waren überzeugt, sie würden an Weihnachten wieder zu Hause sein und als Helden gefeiert werden. Doch es kam alles ganz anders: Aus dem Blitzkrieg wurde nichts; französische und englische Truppen stoppten den deutschen Angriff kurz vor Paris. Der Bewegungs- wurde zu einem Stellungskrieg, bei dem keine Seite mehr einen entscheidenden Durchbruch erzielen konnte. Damit war der Schlieffen-Plan gescheitert und der Krieg für Deutschland praktisch schon verloren. Aber sowohl an der West- als auch an der Ost-

Deutsche Soldaten ziehen begeistert in den Krieg. Spätestens an Weihnachten wollen sie von ihrem »Ausflug nach Paris« zurück sein. Doch für viele ist es ein Abschied ohne Wiederkehr.

front wurde weiter geschossen und gebombt. Von der anfänglichen Begeisterung war bald nichts mehr übrig. Die Soldaten begriffen, dass sie in diesem Krieg eher »Kanonenfutter« als Helden werden konnten.

Anfang 1916 wollte die deutsche Oberste Heeresleitung (OHL) in Verdun die Wende erzwingen. Es kam zu einer »Materialschlacht«, wie die Welt noch keine gesehen hatte. In der »Hölle von Verdun« starben etwa 700 000 Franzosen und Deutsche, ohne dass eine Seite die Schlacht für sich entscheiden konnte.

Auch im Osten kam es nach anfänglichen Erfolgen zu einem Stellungskrieg. Aber auf einen so langen Krieg war Deutschland nicht vorbereitet. Munition und Kriegsmaterial wurden knapp, also musste die Produktion möglichst schnell auf Rüstungsgüter umgestellt werden. Und weil Millionen Männer an der Front waren, mussten Millionen Frauen in den Rüstungsbetrieben der »Heimatfront« Schwerstarbeit leisten. Gleichzeitig wurden die Lebensmittel immer knapper, und die Bevölkerung erhielt Lebensmittelkarten, die zum Kauf von bestimmten Nahrungsmengen berechtigten. Als im Herbst 1916 auch noch die Kartoffelernte schlecht ausfiel, mussten sich viele Deutsche im folgenden Winter hauptsächlich von Kohlrüben ernähren, von denen aber niemand satt wurde.

Am 12. Dezember 1916 machte die deutsche Regierung gegen den Willen der OHL ein erstes Friedensangebot. Die Gegner nannten ihre Bedingungen für einen Frieden: Räumung der besetzten Gebiete, Abtretung Elsass-Lothringens, Kriegsentschädigungen und Neuordnung Europas nach dem Nationalitätenprinzip – was die Auflösung Österreich-Ungarns bedeutete.

Deutschland lehnte ab, denn die OHL mit den Genera-
len Hindenburg und Ludendorff an der Spitze, die deutsche
Industrie und ein nationalistisches Bürgertum träumten
immer noch von einem »Siegfrieden« mit großen Gewinnen an Land und Gütern. Also ging der Krieg weiter. Und
die OHL befahl den unbeschränkten U-Boot-Krieg, bei
dem auch neutrale Schiffe versenkt wurden. Daraufhin erklärten die USA am 6. April 1917 Deutschland den Krieg.

Wer nicht völlig verblendet war, musste wissen, dass mit
dem Kriegseintritt der stärksten Wirtschafts- und Militär-
macht der Welt der Krieg für Deutschland nun wirklich
nicht mehr zu gewinnen war.

Durch Deutschland zur Revolution

Ein wichtiges Ereignis für den weiteren Verlauf der deutschen Geschichte fand um diese Zeit in Russland statt.
Dort führten Not und Hunger zu sozialen Unruhen, die
sich im März 1917 zu einer Revolution ausweiteten. Der
Zar musste abdanken, Russland wurde Republik und
mehrere Parteien stritten erbittert um die Macht.

Die Führer der radikalen Bolschewiki, der russischen
Kommunisten, mit Lenin an der Spitze lebten seit einiger
Zeit im Schweizer Exil. Nun wollten sie möglichst schnell
nach Russland zurück und baten um die Erlaubnis, durch
Deutschland reisen zu dürfen. Die OHL stimmte zu in der
Hoffnung, Lenin würde die innenpolitischen Auseinander-
setzungen um die Macht verschärfen und um der Revoluti-
on willen vielleicht sogar einen Waffenstillstand vorschlagen.

Die Rechnung schien aufzugehen. In der »Oktober-
revolution« errangen die Bolschewiki unter Lenins Führung die Macht in Russland – und als Erstes wollte Lenin
Frieden. Die OHL sah eine Chance, den Krieg doch noch
zu gewinnen. Es kam zu deutsch-russischen Verhandlungen, an deren Ende der Friedensvertrag von Brest-
Litowsk stand. Russland musste Finnland, Estland,
Lettland, Litauen, Polen und die Ukraine abtreten, womit
es große Rohstoffvorkommen, wichtige Industriegebiete,
riesige Ackerflächen und ein Drittel seiner Bevölkerung
verlor. Diesen »Diktatfrieden« unterschrieben die Russen
nur unter Protest, aber Lenin wollte den Frieden um jeden
Preis, damit er im Innern die Herrschaft der Arbeiter-,
Bauern- und Soldatenräte durchsetzen und eine »Räterepublik« – russisch: Sowjetrepublik – aufbauen konnte.
Im Nachhinein erscheint es paradox: Da schleusten
erzkonservative Generale und Politiker der deutschen
Monarchie russische Revolutionäre durch Deutschland,
um die Unruhen in Russland anzuheizen und das Land
aus dem Gleichgewicht zu bringen – und wurden so un-
gewollt zu Geburtshelfern der Sowjetrepublik, die bald
darauf zur kommunistischen Sowjetunion wurde.

Siegfrieden oder Verständigungsfrieden?

Wie in Russland nahmen Not und Kriegsmüdigkeit auch
in Deutschland weiter zu. Seit dem Frühjahr 1917 kam es
immer wieder zu Streiks und Meutereien, die jeweils
durch Zugeständnisse oder Druck beendet wurden. Auch

der innenpolitische Burgfrieden hielt nicht mehr wie zu Beginn des Krieges.

Als der Reichstag im Juli 1917 neue Kriegskredite bewilligen sollte, kam es in der SPD zum Streit und zur Spaltung. Die Unabhängige SPD (USPD) mit Karl Liebknecht und Rosa Luxemburg an der Spitze lehnte die Kriegskredite ab und wollte einen sofortigen Frieden »ohne Annexionen« (die gewaltsame Aneignung von Land). Die Mehrheitssozialisten (MSPD) unter Friedrich Ebert und Philipp Scheidemann standen nach wie vor zum politischen Burgfrieden, versuchten aber zusammen mit anderen Parteien Einfluss auf die offizielle Politik zu gewinnen. Die spätere »Weimarer Koalition« aus SPD, katholischer Zentrumspartei und Linksliberalen fand sich hier zum ersten Mal zusammen und forderte einen Frieden ohne Annexionen und ohne Zahlungen der Besiegten an die Sieger. Aber die Volksvertreter waren noch nicht geschickt und stark genug, um sich gegen die Regierenden durchzusetzen. Vor allem das Feldherrenpaar Hindenburg/Ludendorff kümmerte sich nicht um Reichstagsbeschlüsse und errichtete nach dem Sieg im Osten faktisch eine Militärdiktatur. Beide lehnten einen Verständigungsfrieden immer noch ab und wollten im Frühjahr 1918 auch im Westen die Entscheidung auf dem Schlachtfeld erzwingen. Noch einmal mussten Hunderttausende sinnlos sterben.

Im September 1918 konnte die OHL nicht mehr länger leugnen, dass der Krieg verloren war. Doch die Niederlage eingestehen wollten die Feldherren trotzdem nicht. Da entwarf General Ludendorff einen Plan:

1. Die Ehre der Armee müsse gerettet werden, koste es, was es wolle. Das Waffenstillstandsgesuch dürfe also nicht die OHL machen.
2. Es solle von den Parteien vorgebracht werden, die seit langem für einen Verständigungsfrieden eintraten: SPD, Zentrum, Liberale.
3. Dafür sollten diese Parteien an der Regierung beteiligt werden.

Ludendorffs Ziel war offensichtlich: Armee und OHL sollten mit der Schmach der Kapitulation nicht in Verbindung gebracht, die Verantwortung für die Konsequenzen aus der Niederlage den Parteien zugeschoben werden. Für die tatsächlich Verantwortlichen war dieser Plan genial, für die kommende »Weimarer Republik« aber sollte er sich als verhängnisvoll erweisen.

Die Novemberrevolution

Im Herbst 1918 befahl die oberste Flottenführung, zum letzten Gefecht gegen die englische Flotte auszulaufen. Doch jetzt wollten viele Matrosen kein Kanonenfutter mehr sein und verweigerten am 29. Oktober 1918 den Gehorsam. In den folgenden Tagen breitete sich die Revolte, die in Wilhelmshaven und Kiel begonnen hatte, immer weiter aus. Überall wurden nach russischem Vorbild Arbeiter- und Soldatenräte gebildet, die die politische Macht an sich rissen. Die bisher herrschenden Kräfte sahen dem revoltierenden Treiben staunend und tatenlos zu. Sie schienen nicht fassen zu können, was ihre braven Untertanen da taten.

Die Generalität legte dem Kaiser, von dem im Verlauf des Krieges immer weniger zu sehen und zu hören war, den Heldentod oder wenigstens die Abdankung nahe. Aber Wilhelm II. wollte beides nicht und floh im Salonwagen ins Exil nach Holland.

Der Reichskanzler Prinz Max von Baden verkündete am 9. November 1918 gegen 12.00 Uhr unter dem Druck der Massen eigenmächtig die Abdankung des Kaisers. Eine Stunde später trat er selbst zurück und ernannte den Führer der MSPD, Friedrich Ebert, zum Reichskanzler – obwohl er dazu überhaupt nicht befugt war. »Herr Ebert, ich lege Ihnen das Deutsche Reich ans Herz«, soll der letzte kaiserliche Reichskanzler dabei gesagt haben.

Doch damit war keinesfalls entschieden, wie das neue Deutschland aussehen sollte. Alles war noch möglich, von einer demokratisierten Hohenzollern-Monarchie bis zur sozialistischen Räterepublik nach russischem Vorbild. Aber an diesem 9. November überstürzten sich die Ereignisse. Zehntausende zogen durch Berlin und forderten: »Alle Macht dem Volk!« oder »Alle Macht den Räten!«

Da rief der Sozialdemokrat Philipp Scheidemann gegen 14.00 Uhr vom Balkon des Reichstags die »Deutsche Republik« aus. Wenig später verkündete der Sozialist Karl Liebknecht vor dem Berliner Schloss die »Freie sozialistische Republik Deutschland«.

Anders als in Russland setzten sich in Deutschland die gemäßigten gegen die radikalen Kräfte durch. Ebert und Scheidemann wollten keinen völligen Umsturz der Verhältnisse. Ihnen ging es vor allem darum, eine parlamentarische und soziale Demokratie zu errichten.

In der Diskussion um das Ende des Kaiserreichs und die

Entstehung der ersten deutschen Republik gibt es bis heute Stimmen, die Ebert und Scheidemann vorwerfen, sie hätten die große Chance zu einem wirklichen Neubeginn vertan, indem sie die »Novemberrevolution« auf halbem Weg stoppten und mit den alten Mächten zusammenarbeiten. Wer diesen Vorwurf erhebt, muss sich jedoch die Frage gefallen lassen, ob das Volk die »ganze Revolution« überhaupt wollte. Die Wahl zur verfassunggebenden Nationalversammlung am 19. Januar 1919 – bei der zum ersten Mal in der deutschen Geschichte alle Männer *und* Frauen wählen durften – beantwortete diese Frage: Die gemäßigten Kräfte (SPD, Zentrum, Linksliberale) erhielten 76% der Stimmen. Für eine sozialistische Revolution gab es in Deutschland keine Mehrheit.

Die Weimarer Verfassung und der Versailler Vertrag

In Berlin kam es nach dem 9. November immer wieder zu Kämpfen zwischen revoltierenden Kräften und Soldaten so genannter »Freikorpstruppen«, die im Auftrag der Regierung für Ruhe und Ordnung sorgen sollten. Dabei wurden am 15. Januar 1919 mit Rosa Luxemburg und Karl Liebknecht auch die führenden Köpfe der neugegründeten Kommunistischen Partei gefangen genommen und von Freikorpsoffizieren heimlich ermordet. Diese gemeinen Morde von Offizieren der alten Armee trugen erheblich zur Verschärfung der politischen Gegensätze bei.

Weil die Lage in Berlin zu unsicher war, trat die Nationalversammlung am 6. Februar 1919 in Weimar zusammen, um der neuen Republik eine Verfassung zu geben. Es wurde eine sehr demokratische Verfassung, die zum ersten Mal in der deutschen Geschichte das allgemeine, gleiche, unmittelbare und geheime Wahlrecht für Männer und Frauen enthielt. Ebenfalls zum ersten Mal war die Regierung dem Reichstag verantwortlich. Als eine Art Ersatzkaiser hatte der direkt vom Volk gewählte Reichspräsident eine sehr starke Stellung, vor allem in Krisenzeiten. Über die Einhaltung der Verfassung und der Gesetze sollten unabhängige Gerichte wachen. Im zweiten Teil der Verfassung wurden die Grundrechte und Grundpflichten der Deutschen aufgeführt.

Nach all den gescheiterten Versuchen vom Heilbronner Bauernparlament 1525 bis zur Nationalversammlung von 1848 wollten es die 382 Männer und 41 Frauen wohl besonders gut machen. Und für einen Staat mit demokratischer Tradition wäre die Weimarer Verfassung auch bestens geeignet gewesen. Für Deutschland mit seiner Untertanentradition aber war sie das nicht.

Die Verfassungsväter und -mütter rechneten auch viel zu wenig mit den zahlreichen Gegnern des neuen Staates. »Alle Rechte und Freiheiten auch für die Feinde dieser Rechte und Freiheiten« könnte man als Motto über die Weimarer Verfassung schreiben. Diese Feinde missbrauchten die Rechte und Freiheiten vom ersten Tag an. Ehrlich und aufrichtig hinter der Weimarer Republik standen von Anfang an nur die Parteien der Weimarer Koalition und die Gewerkschaften.

Von entscheidender Bedeutung für die junge Republik wurden die Friedensbedingungen der »Alliierten«, wie man die gegen Deutschland verbündeten Staaten nannte. Sie wählten Tag und Ort für die Eröffnung der Friedensverhandlungen sehr bewusst: Am 18. Januar 1871 war Wilhelm I. im Spiegelsaal von Versailles zum Deutschen Kaiser ausgerufen und damit das Deutsche Reich gegründet worden. Am 18. Januar 1919 versammelten sich am gleichen Ort die Vertreter der Siegermächte, um über dieses Reich zu richten. Und was den Deutschen drei Monate später vorgelegt wurde, glich dem »Diktatfrieden« von Brest-Litowsk:

– Deutschland sollte ein Siebtel seines Gebietes, ein Zehntel seiner Bevölkerung, drei Viertel der Erz- und ein Drittel der Steinkohleförderung sowie alle Kolonien abtreten.
– Deutschland durfte nur noch ein stehendes Heer von höchstens 100 000 Mann und keine schweren Waffen, Panzer, U-Boote und Kriegsschiffe mehr haben.
– Deutschland und seine Verbündeten, so hieß es, seien allein schuld am Ausbruch des Krieges gewesen und hätten deswegen auch für alle Verluste und Schäden geradezustehen.

In Deutschland lösten diese harten Friedensbedingungen Enttäuschung, Empörung und Wut aus. Die deutsche Regierung versuchte zu verhandeln, aber dazu waren die Sieger nicht bereit. Sie bestanden auf ihren Forderungen und drohten, den Krieg wieder aufzunehmen, wenn Deutschland den Vertrag nicht annehme.

Reichskanzler Scheidemann rief aus: »Welche Hand müsste nicht verdorren, die sich und uns in solche Fesseln legt!« Er weigerte sich, den Versailler Vertrag zu unterzeichnen, und trat zurück.

Reichspräsident Ebert setzte sich mit der OHL in Verbindung, um deren Meinung zu hören. Doch Hindenburg ließ sich nicht sprechen, und Ludendorffs Nachfolger Groener sagte, die OHL gebe keinen Kommentar. »Nicht als General, sondern als Deutscher« riet er: »Der Friede muss unter den vom Feinde gestellten Bedingungen abgeschlossen werden.«

Hätten die OHL und der Kaiser die Verantwortung für die Niederlage übernommen und den Friedensvertrag von Versailles wie den von Brest-Litowsk unterzeichnet, wäre die deutsche Geschichte mit Sicherheit anders verlaufen. Aber die großen Feldherren haben nicht nur den Untergang des Kaiserreiches mit verschuldet; durch ihre Feigheit vor dem eigenen Volk haben sie auch wesentlich zum Untergang der ersten deutschen Demokratie beigetragen. Denn nun mussten die Politiker der Weimarer Koalition den Vertrag unterzeichnen – und damit waren sie in den Augen vieler Menschen für den »Schandfrieden« und die »Schmach von Versailles« verantwortlich, wie man von nun an sagte. Rechte Parteien und Verbände nannten die Politiker der Koalition »Vaterlandsverräter« und behaupteten, sie seien die wahren Schuldigen an der Niederlage. Dabei beriefen sie sich auch auf Hindenburg, der öffentlich gesagt hatte, die Armee habe den Krieg überhaupt nicht verloren. Vielmehr sei sie »im Felde unbesiegt« gewesen und durch sozialistische Hetze und Friedenspropaganda »von hinten erdolcht« worden. Diese »Dolchstoßlegende« wurde zu einer großen Belastung für die junge Republik.

Gefährdung und Stabilisierung
der Weimarer Republik

Bei der Reichstagswahl vom 6. Juli 1920 zeigten sich schon die ersten Auswirkungen der Hetze von rechts und von links: Die Parteien der Weimarer Koalition stürzten von 76% auf 43% ab. Damit waren sie auf Unterstützung, zumindest jedoch auf Duldung wenigstens einer Partei von links oder rechts angewiesen. Unter diesen Umständen war eine kontinuierliche Parlaments- und Regierungsarbeit praktisch unmöglich. Im Durchschnitt wechselten die Regierungen nun etwa alle neun Monate.

Diese Schwäche wollten Nationalisten und Kommunisten ausnutzen, um die Macht zu ergreifen. Es gab mehrere Aufstände, Putschversuche und zahlreiche Attentate. Als Matthias Erzberger, der den Waffenstillstand unterzeichnet hatte, und Außenminister Walther Rathenau (»Schlagt tot den Walther Rathenau, die gottverdammte Judensau!«) ermordet wurden, war der Jubel in Deutschland mindestens so groß wie die Betroffenheit und Trauer.

Insgesamt gab es zwischen 1918 und 1921 in Deutschland 376 politische Morde. 354 wurden von rechtsradikalen Tätern begangen, von denen 28 milde Gefängnisstrafen erhielten. Von 22 linksradikalen Tätern wurden 18 bestraft, davon 10 mit dem Tod.

Wenn nicht blind, so war die Justiz auf dem rechten Auge jedenfalls sehr kurzsichtig. Deswegen mahnte Reichskanzler Wirth: »Der Feind steht rechts!«

Dass er damit Recht hatte, zeigte sich auch im November 1923. Am 8. und 9. dieses Monats tauchte zum ersten Mal ein Mann namens Adolf Hitler in der deutschen

Geschichte auf: Zusammen mit dem Weltkriegsgeneral Ludendorff und einigen tausend seiner Anhänger wollte er von München aus die Reichsregierung stürzen. Der »Hitler-Putsch« scheiterte und auch hier kamen die Anführer mit geringen Strafen davon.

Nicht nur politisch, auch wirtschaftlich war 1923 ein Krisenjahr. Um die geforderten Entschädigungen – »Reparationen« – an die Siegermächte bezahlen zu können, hatte die Regierung immer mehr Geld drucken lassen, das damit immer weniger wert wurde. 1914 kostete ein Roggenbrot noch 0,32 Reichsmark (RM), 1919 schon 0,80 RM und zwei Jahre später 3,90 RM. Doch dann begann die Geldentwertung – »Inflation« – zu galoppieren: Im Juli 1923 mussten die Leute etwa 4 000 RM für ihr Roggenbrot bezahlen, im Dezember 400 000 000 000 RM.

Die Besitzer von Sachwerten wurden von der Inflation kaum berührt. Industrielle wie Hugo Stinnes konnten ihren Besitz sogar noch vergrö-

Die Inflation brachte viele Menschen in Not. Lange Schlangen, die nach Lebensmitteln anstanden, wurden zu einem vertrauten Bild in diesen Zeiten der Weimarer Republik.

ßern. Wer allerdings nur Geldersparnisse hatte, verarmte durch die Inflation. Das traf besonders den Mittelstand sowie Rentner und Pensionsempfänger, deren Renten und Pensionen der Geldentwertung nicht angepasst wurden. Für all diese Menschen brach die Welt nach dem verlorenen Krieg und dem Sturz der Monarchie ein zweites Mal zusammen.

Durch die Einführung einer neuen Währung und drastische Sparmaßnahmen gelang im Jahr 1924 die Wende. Die Wirtschaft erholte sich und es ging langsam wieder aufwärts.

Gleichzeitig versuchte Außenminister Gustav Stresemann, Deutschland Schritt für Schritt in die Völkergemeinschaft zurückzuführen, was am 10. September 1926 mit der Aufnahme in den Völkerbund auch gelang.

Diese relativ guten Jahre der Weimarer Republik meint, wer von den »goldenen Zwanzigerjahren« spricht. Die deutsche Wissenschaft genoss wieder hohes Ansehen in der Welt, jeder dritte zwischen 1919 und 1927 vergebene wissenschaftliche Nobelpreis ging an einen deutschen Forscher. In der Architektur sorgte der sachlich-funktionelle »Bauhausstil« für Aufsehen. Der Film als neues Medium, Theater, Kabarett und prachtvolle Revuen machten Berlin zu einer flimmernden Metropole.

Viele Künstler aber setzten sich kritisch mit der deutschen Gesellschaft auseinander, unter ihnen der junge Bertolt Brecht mit seinen ersten Stücken. Thomas Mann, der Autor der *Buddenbrooks*, veröffentlichte mit dem *Zauberberg* seinen zweiten großen Roman und erhielt 1929 den Literaturnobelpreis. 1927 erschien Hermann Hesses *Steppenwolf*, der beschreibt, wie der moderne Großstadtmensch an dem Zwiespalt zwischen den zerfallenden alten Werten und der neuen technischen Zivilisation leidet.

Käthe Kollwitz zeigte in ihren Bildern das armselige Leben der kleinen Leute. Auch ihre Kollegen Otto Dix und George Grosz stellten die Schattenseiten des politischen und gesellschaftlichen Lebens dar.

Neben kritischen Journalisten wie Carl von Ossietzky waren es vor allem Künstler, die sich von den »goldenen Zwanzigern« nicht blenden ließen und schon früh vor der »braunen Gefahr« warnten.

Die braune Gefahr

Die Künstler und Intellektuellen der Weimarer Republik, die vor der »braunen Gefahr« warnten, meinten damit vor allem die Nationalsozialisten und ihren Führer Adolf Hitler. Wer war dieser Mann, der im November 1923 bei dem gescheiterten Putschversuch in München zum ersten Mal von sich reden gemacht hatte?

Adolf Hitler wurde im österreichischen Braunau am Inn geboren und galt als intelligenter Junge. Trotzdem blieb er in der ersten Realschulklasse in Linz sitzen, was ein Lehrer mit Hitlers Abneigung gegen intensive Arbeit erklärte: »Hitler war entschieden begabt, hatte sich aber wenig in der Gewalt, zum Mindesten galt er für widerborstig, eigenmächtig, rechthaberisch und jähzornig, und es fiel ihm schwer, sich in den Rahmen einer Schule zu fügen.«

Mit 16 Jahren verließ er die Schule ohne Abschluss, wollte an der Kunstakademie in Wien Malerei studieren, fiel jedoch bei der Aufnahmeprüfung zweimal durch. Er blieb in Wien, wohnte in einem Männerheim, lebte von Gelegenheitsarbeiten und dem Verkauf selbstgemalter Ansichtskarten.

Wie alle jungen Männer wurde er gemustert, aber die Armee konnte ihn nicht gebrauchen. »Zum Waffen- und Hilfsdienst untauglich, zu schwach. Waffenunfähig!«, lautete der Musterungsbescheid.

Mit 25 Jahren war Adolf Hitler das, was man eine »verkrachte Existenz« nannte. Deswegen kam ihm der Kriegsausbruch 1914 gerade recht. Er meldete sich sofort als Freiwilliger ins bayerische Heer. Nach dem verlorenen Krieg versuchte Hitler, seine Entlassung vom Militär möglichst weit hinauszuschieben, was ihm auch gelang. Dank seines Rednertalents sollte er vor Soldaten Aufklärungsvorträge über Ausbruch und Ende des Krieges halten. Für beides machte er das »internationale Judentum« verantwortlich. Die Revolution von 1918 und der »Schandvertrag von Versailles« seien »Judenmache«, die ganze Weimarer Republik sei »verjudet«. Deshalb müssten die Juden aus ihren führenden Stellungen in Politik und Wirtschaft entfernt werden, damit es in Deutschland wieder aufwärtsgehen könne.

Hitlers »Aufklärungsreden« kamen bei seinen Zuhörern gut an und brachten ihm die Anerkennung seiner Vorgesetzten ein. Vielleicht zum ersten Mal in seinem Leben konnte er etwas, und er konnte es besser als andere. Sein Selbstbewusstsein wuchs und es drängte ihn in die Politik.

Im September 1919 trat er in die »Deutsche Arbeiterpartei« ein, bereits einen Monat später wurde er als »Werbeobmann« in den siebenköpfigen Vorstand gewählt. Schnell wurde Hitler zum wichtigsten Mann der Partei und setzte auch bald einen neuen Namen durch: »Nationalsozialistische Deutsche Arbeiterpartei« (NSDAP). Zum Emblem der NSDAP wurde das Hakenkreuz, und schon das erste Parteiprogramm vom 24. Februar 1920 enthielt alle Grundgedanken, die für Hitlers spätere Politik charakteristisch waren:

– Zusammenschluss aller Deutschen in einem großdeutschen Reich.
– Aufhebung des Versailler Vertrages.
– Wiedereinführung der allgemeinen Wehrpflicht.
– Schaffung einer starken Reichsführung, um die Reichsinteressen gegen die Länderinteressen durchzusetzen.
– Ein deutsches Staatsbürgerrecht, das Juden ausschloss.
– Bekämpfung des »jüdisch-materialistischen Geistes«, an dessen Stelle »Gemeinnutz geht vor Eigennutz« treten soll.
– Staatliche Kontrolle der Presse.
– Bekämpfung und Verbot »zersetzender«, das heißt die negativen Seiten des Lebens darstellender Kunst und Literatur.

In zahlreichen Veranstaltungen gelang es Hitler, die Zuhörer für dieses Programm zu gewinnen und zu begeistern. Und je größer sein Erfolg wurde, desto entschiedener strebte er danach, mehr als nur eines von sieben Vorstandsmitgliedern zu sein. Im Juli 1921 drohte er mit dem Parteiaustritt, wenn er nicht umfassende Vollmachten erhalte, um die »radikal-revolutionäre Bewegung« so zu führen, wie er es für richtig halte. Am 29. Juli 1921 wurde Hitler zum ersten Vorsitzenden mit nahezu unbegrenzten Machtbefugnissen gewählt.

Sofort nach seiner Wahl machte er sich daran, die bisherigen Ordnergruppen, die bei Veranstaltungen für Ruhe und Ordnung sorgten, zu einer halbmilitärischen Organisation auszubauen. Die so entstandene »Sturmabteilung« (SA) marschierte in ihren braunen Uniformen auf und schüchterte die Gegner ein.

Im Krisenjahr 1923 sah Hitler die Zeit zum Handeln gekommen. Vor allem in Bayern waren nationalistische Töne und massive Beschimpfungen der Weimarer Politiker sehr beliebt. Diese Stimmung war es, die Hitler den Münchner Putsch gegen die Regierung wagen ließ. Als der scheiterte, wurde Hitler verhaftet, die Partei und ihre Zeitung wurden verboten. Während der Haft schrieb Hitler an seinem Buch *Mein Kampf*. Und er beschloss, nach seiner Entlassung die Macht mit anderen Mitteln anzustreben. Kaum in Freiheit, versprach er dem bayerischen Ministerpräsidenten, sich in Zukunft gesetzestreu zu verhalten, und erreichte so die Aufhebung des NSDAP-Verbots. Beim Neuaufbau der Partei und der SA setzte Hitler ihm treu ergebene Unterführer ein. Und er gründete zusätzlich eine »Schutzstaffel« (SS), die ihm persönlich unterstand. Vor allem aber baute er die Propaganda-Abteilung aus und gewann dafür den Journalisten Joseph Goebbels. Der verstand es wie Hitler, die Massen zu beeinflussen, und entwickelte regelrechte Werbefeldzüge, um Wählerstimmen zu gewinnen. Trotz allem blieb die NSDAP in den besseren Zeiten der Weimarer Republik praktisch bedeutungslos. Ihre große Chance kam mit der Weltwirtschaftskrise Anfang der Dreißigerjahre.

Das Ende der Weimarer Republik

Die relativ ruhigen Weimarer Jahre wurden durch den »Schwarzen Freitag« an der New Yorker Börse beendet. An diesem 25. Oktober 1929 begann mit dramatischen Kursstürzen die Weltwirtschaftskrise. Ausländische Banken forderten die sofortige Rückzahlung ihrer Kredite samt Zinsen. Das führte in Deutschland rasch zu einer Verknappung des Geldes, die Produktion stockte, der Wirtschaftsaufschwung wurde jäh unterbrochen, die Arbeitslosigkeit nahm zu – und mit ihr die Zahl der Anhänger und Wähler radikaler Parteien. Sie boten den Leuten für die immer komplizierter werdenden Probleme einfache Lösungen an:

Für die Kommunisten war die Wirtschaftskrise die logische Konsequenz des kapitalistischen Wirtschaftssystems, das darum abgeschafft werden müsse. Sie verwiesen auf die Sowjetunion, wo angeblich nicht mehr profitgierige Kapitalisten die Produktion bestimmten, sondern die Bedürfnisse der Menschen.

Für die Nationalsozialisten, die »Nazis«, wie man inzwischen auch sagte, mussten »das internationale Finanzjudentum« ausgeschaltet und »die dreißig Parteien aus dem Reichstag hinausgefegt« werden, dann konnte es mit Deutschland wieder aufwärtsgehen.

Vor allem die einfachen Parolen von Adolf Hitler und sein klares Feindbild – »Die Juden und die Kommunisten sind an allem schuld!« – kamen bei den Unzufriedenen und Verunsicherten gut an. So wurde Hitlers NSDAP bei den Wahlen am 31. Juli 1932 mit 37,3 % der Stimmen zur stärksten Partei im Reichstag. Die KPD erhielt 14,2 % und war damit drittstärkste Partei. Beide bekämpften sich nicht nur im Reichstag, sondern auch in Straßen- und Saalschlachten.

Zwischen Kommunisten und Nationalsozialisten standen die immer schwächer werdenden staatstragenden Parteien – der Reichstag war nicht mehr in der Lage, eine Regierung zu bilden. In solchen Krisenzeiten wurde der Reichspräsident zum wichtigsten Mann der deutschen Politik. Das war seit Friedrich Eberts Tod der Weltkriegsgeneral Paul von Hindenburg, ein alter Mann, der in dieser Rolle völlig überfordert war und die Entscheidungen weitgehend seinem Sohn und seinen alten Kameraden überließ. Die glaubten, den kleinen Weltkriegsgefreiten Hitler in Schach halten und für sich benutzen zu können. Aber das Spiel lief gerade umgekehrt – und auf Hitler zu.

Hindenburg sträubte sich zuerst: »Sie werden mir doch nicht zutrauen, meine Herren, dass ich diesen österreichischen Gefreiten zum Reichskanzler berufe«, sagte er noch am 27. Januar 1933. Doch schon drei Tage später gab er seinen Beratern nach. Formal fand am 30. Januar 1933 nicht mehr als ein Regierungswechsel statt, tatsächlich bedeutete die Ernennung Hitlers zum Reichskanzler das Ende der Weimarer Republik.

Wer drückt wen in die Ecke?

Franz von Papen, der als enger Vertrauter Hindenburgs mitverantwortlich für die Ernennung Hitlers war und selbst Vizekanzler wurde, sagte zu Kritikern seiner Politik: »In zwei Monaten haben wir Hitler in die Ecke gedrückt, dass er quietscht.«

Das war einer der folgenschwersten Irrtümer in der deutschen Geschichte. Aber am 30. Januar 1933 konnte sich noch niemand vorstellen, was in und mit Deutschland passieren würde.

Dabei hatte Hitler nie ein Geheimnis aus seinen Vorstellungen und Zielen gemacht. In seinem Buch *Mein Kampf* und in unzähligen Reden ließ er keine Zweifel daran, worum es ihm ging: die Beseitigung der parlamentarischen Demokratie; den Aufbau des Staates nach dem Führerprinzip; die Ausrottung »minderwertiger Rassen«, insbesondere des Judentums; die Vernichtung des Bolschewismus/Marxismus/Kommunismus; die Eroberung von »Lebensraum« im Osten für das deutsche »Herrenvolk«. Viele hielten das für Wortradikalismus und glaubten nicht, dass Hitler alles ernst meinte, was er sagte und schrieb. Aber er meinte alles ernst, todernst. In einem von niemandem für möglich gehaltenen Tempo veränderte Deutschland innerhalb weniger Monate sein Gesicht.

Nach dem 30. Januar 1933 beherrschten Hitlers Parteitruppen SA und SS die Straße. Politische Gegner wurden verfolgt, verprügelt und getötet. Erste Lager entstanden, in denen willkürlich festgenommene Männer und Frauen eingesperrt und gequält wurden.

Am 17. Februar wies Hitlers Parteifreund Hermann Göring als neuer preußischer Innenminister die Polizei an, Ausschreitungen von SA und SS nicht zu verfolgen, gegen Aktionen anderer Parteien aber rücksichtslos vorzugehen, notfalls auch mit Schusswaffen.

Am 27. Februar brannte der Reichstag. Hitler und Göring ließen sofort verkünden, die KPD habe den Brand als »Aufruf zu einem kommunistischen Umsturz« gelegt.

Am nächsten Tag unterzeichnete Hindenburg auf Drängen Hitlers die »Verordnung zum Schutz von Volk und Staat«, in der praktisch alle Grundrechte »zur Abwehr kommunistischer staatsgefährdender Gewaltakte bis auf weiteres außer Kraft gesetzt« wurden. Diese Verordnung, die bis 1945 in Kraft blieb, begründete den permanenten Ausnahmezustand im Deutschen Reich. Nun konnte das NS-Regime »legal« gegen alle und alles vorgehen.

In diesem Klima wurde am 5. März ein neuer Reichstag gewählt. Obwohl die NSDAP von der Industrie für den Wahlkampf viel Geld erhalten und alle Machtmittel des Staates eingesetzt hatte, erhielt sie bei dieser letzten halbwegs freien Wahl nur 43,9 % der Stimmen. Das war für sie sehr enttäuschend. Joseph Goebbels aber schrieb in sein Tagebuch: »Was bedeuten jetzt noch Zahlen? Wir sind die Herren im Reich und in Preußen.«

Weil Hitler jedoch großen Wert auf den Anschein legte, nach Recht und Gesetz zu handeln, ließ er das so genannte »Ermächtigungsgesetz« vorbereiten. Es sollte die Regierung ermächtigen, Gesetze, die sogar von der Verfassung abweichen konnten, ohne Mitwirkung von Reichstag und Reichsrat zu beschließen. Durch die Streichung der 81 KPD-Mandate und Versprechungen an die bürgerlichen Parteien erreichte Hitler die für das Gesetz erforderliche Zweidrittelmehrheit im Reichstag. Nur die SPD stimmte trotz aller Einschüchterungsversuche dagegen. Ihr Vorsitzender Otto Wels hielt eine letzte mutige Rede: »Freiheit und Leben kann man uns nehmen, die Ehre nicht. Wir Sozialdemokraten bekennen uns in dieser geschichtlichen Stunde zu den Grundsätzen der Menschlichkeit und der Gerechtigkeit, der Freiheit und des

Sozialismus. Kein Ermächtigungsgesetz gibt ihnen die Macht, Ideen, die ewig und unzerstörbar sind, zu vernichten.«

Otto Wels hatte Recht: Vernichten konnten diese Ideen nicht einmal die Nationalsozialisten. Aber sie konnten sie außer Kraft setzen, wie sie alles außer Kraft setzten, was ihnen im Weg stand.

Am 31. März legte Hitler ein »Gesetz zur Gleichschaltung der Länder mit dem Reich« vor. Die Länderparlamente wurden ohne Neuwahlen nach dem Verhältnis der Reichstagswahl umgebildet, und eine Woche später wurden an Stelle der Ministerpräsidenten »Reichsstatthalter« eingesetzt. Damit war die Selbstständigkeit der Länder praktisch aufgehoben. Aus dem seit jeher bundesstaatlich aufgebauten Deutschen Reich wurde ein zentralistischer Einheitsstaat. Um den Eindruck zu erwecken, dieser Staat knüpfe an das Heilige Römische Reich Deutscher Nation und an das Deutsche Kaiserreich an, wurde er »Drittes Reich« genannt.

Als Nächstes wurden die Gewerkschaften und die SPD verboten, viele ihrer Funktionäre in »Schutzhaft« genommen und in Straflager gesperrt, die man zu diesem Zweck errichtete und »Konzentrationslager« nannte. Die bürgerlichen Parteien lösten sich unter Druck »freiwillig« auf. Am 14. Juli wurde das »Gesetz gegen die Neubildung von Parteien« erlassen. In Deutschland gab es nur noch die NSDAP.

Auf dem Weg in den totalitären Führerstaat

Schritt für Schritt erfasste und beherrschte Hitlers NSDAP alle Bereiche des öffentlichen und privaten Lebens: Deutschland wurde zum »totalitären« Führerstaat, in dem die Nationalsozialisten kein Mittel scheuten, um ihre Ziele zu erreichen. Nicht einmal vor der Ermordung langjähriger Weggefährten schreckten sie zurück. Als der SA-Chef Ernst Röhm die Verschmelzung seiner Truppe mit der Reichswehr und damit mehr Macht für sich wollte, befahl Hitler im Juni 1934, die gesamte SA-Führung zu ermorden. Damit sicherte er sich endgültig das Wohlwollen der Reichswehr, die er für den Krieg brauchte, den zu führen er längst beschlossen hatte.

Als Hindenburg am 2. August 1934 starb, übernahm Hitler einfach das Amt des Reichspräsidenten, wurde damit gleichzeitig Oberbefehlshaber der Reichswehr und nannte sich »Führer des Deutschen Reiches und Volkes«. Alle Soldaten und Beamten mussten ihren Treueeid auf die Person Adolf Hitlers leisten.

Wie die absolutistischen Monarchen vereinigte Hitler nun alle Macht in seiner Hand. Doch damit war er noch nicht zufrieden. Er wollte die Menschen ganz beherrschen, wollte auch Macht über ihr Denken und Fühlen. Darum legte er großen Wert auf die Erziehung der Jugend. In seinen eigenen Worten:

»Diese Jugend, die lernt ja nichts anderes als deutsch denken, deutsch handeln. Und wenn so diese Knaben, diese Mädchen mit ihren zehn Jahren in unsere Organisationen hineinkommen und dort nun oft zum ersten Mal überhaupt eine frische Luft bekommen und fühlen, dann

kommen sie vier Jahre später vom Jungvolk in die Hitlerjugend und dort behalten wir sie wieder vier Jahre. Und
dann geben wir sie erst recht nicht zurück in die Hände unserer alten Klassen- und Standeserzeuger, sondern dann
nehmen wir sie sofort in die Partei und in die Arbeitsfront,
in die SA und SS, in das NSKK [das »Nationalsozialistische Kraftfahrkorps«] usw. Und wenn sie dort zwei
Jahre oder eineinhalb Jahre sind und noch nicht ganze
Nationalsozialisten geworden sein sollten, dann kommen
sie in den Arbeitsdienst und werden dort wieder sechs
oder sieben Monate geschliffen, alle mit einem Symbol:
dem deutschen Spaten! Und was dann nach sechs oder sieben Monaten noch an Klassenbewusstsein oder Standes-
dünkel da oder da noch vorhanden sein sollte, das über-
nimmt dann die Wehrmacht zur weiteren Behandlung auf
drei Jahre. Und wenn sie dann nach zwei oder drei oder
vier Jahren zurückkehren, dann nehmen wir sie, damit sie
auf keinen Fall rückfällig werden, sofort wieder in SA, SS
usw. und sie werden nicht mehr frei ihr ganzes Leben.«

An anderer Stelle sagte er, er wolle »eine gewalttätige,
herrische, unerschrockene, grausame Jugend, vor der sich
die Welt erschrecken wird«. Sie dürfe »nichts Schwaches,
Zärtliches« und auch nichts Intellektuelles haben.

Und damit niemand auf eigene Gedanken kam, wurde
die Presse »gleichgeschaltet«, das heißt unter national-
sozialistische Aufsicht gestellt, wurden liberale und linke
Journalisten, Schriftsteller und Künstler zur Auswande-
rung gezwungen oder in Konzentrationslager gesperrt.
Ihre Bücher wurden in einer von Propagandaminister
Goebbels angeordneten »Aktion wider den undeutschen
Geist« am 10. Mai 1933 von Studenten überall in Deutsch-

Die Erziehung der Jugend im nationalsozialistischen Geist wollte Hitler nicht den Eltern und der Schule überlassen. Die Jugend wurde »organisiert«.

land verbrannt. Ihre Bilder und ihre Musik galten fortan als »undeutsch« und »entartet«. »Was seit 1922 dem deutschen Volk als Kunst aufgeschwätzt worden ist, ist auf dem Gebiet der Malerei ein einziges verkrüppeltes Gekleckse«, sagte Hitler dazu.

Auch die Universitäten blieben nicht verschont. Viele Wissenschaftler wurden entlassen, weil ihre Gedanken und/oder ihre Abstammung den Nationalsozialisten nicht passten. Und wer den neuen »deutschen Geist« nicht akzeptierte, weil ihm zum Beispiel eine »deutsche Physik« absurd erschien, musste gehen.

Dennoch hat nicht etwa die ganze deutsche Geisteswelt den Nationalsozialismus abgelehnt. Vielmehr hatte es schon in der Weimarer Republik Wissenschaftler und Künstler gegeben, die mit den Nationalsozialisten sympathisierten. Und wenn es nach dem 30. Januar 1933 immer mehr wurden, dann deshalb, weil eben auch intelligente Menschen ihr Mäntelchen gern nach dem herrschenden Wind hängen. Die deutsche Geisteswelt unterschied sich da nicht wesentlich von anderen Teilen der Bevölkerung.

Die große Mehrheit der Deutschen empfand die Herrschaft der Nationalsozialisten in den ersten Jahren ohnehin nicht besonders bedrückend. Dass man nicht mehr mit »Guten Tag!« oder »Grüß Gott!« grüßen sollte, sondern mit »Heil Hitler!« und erhobenem rechtem Arm, erschien zwar vielen Menschen übertrieben; aber wichtiger war ihnen, dass nach den oft chaotischen Zuständen am Anfang und Ende der Weimarer Republik ein »starker Mann« wieder für Ruhe und Ordnung sorgte. Auch dass Kinder und Jugendliche »Zucht und Ordnung« lernen sollten, war ganz im Sinne vieler Deutscher. Und weil durch Arbeitsbeschaffungsprogramme und die heimliche Aufrüstung nach und nach alle wieder Arbeit bekamen, wuchs die Zufriedenheit mit dem Regime.

Besonders stolz war man auf die ersten Autobahnen, obwohl man die wegen der wenigen Autos, die es damals gab, wirklich nicht gebraucht hätte. Dass sie als schnelle Aufmarschwege für den nächsten Krieg dienen sollten, ahnten die Leute nicht – und sie fragten auch nicht danach. Ebenso wenig wie nach den Menschen, die verhaftet wurden und verschwanden. Dafür sorgte auch Propagandaminister Goebbels. Die Deutschen lasen in Zeitungen, hörten am Radio und im Kino von 1933 an nur noch Lobeshymnen auf den Führer und die Partei und Hasstiraden auf die Gegner. Außerdem gab es viele Feste und Feiern mit Massenaufmärschen, deren Wirkung man sich nur schwer entziehen konnte. Und natürlich nutzten die Nationalsozialisten auch die Olympischen Spiele 1936 in Berlin, um das Dritte Reich positiv darzustellen. Viele Deutsche waren stolz darauf, dass dieses größte Sportereignis zum ersten Mal in ihrem Land stattfand. Und die deutschen Sportler waren erfolgreicher als je zuvor. Mit 33 Gold-, 26 Silber- und 30 Bronzemedaillen wurde die deutsche Mannschaft zum ersten Mal in der Geschichte der Olympischen Spiele Sieger in der Nationenwertung.

All das fügte sich in ein von der Nazi-Propaganda wieder und wieder entworfenes Bild von der Großartigkeit des deutschen Volkes, ja seiner Überlegenheit gegenüber anderen Völkern. Und so stellten immer weniger Deutsche kritische Fragen, immer mehr Deutsche glaubten, »der Führer« werde es schon richtig machen.

Widerstand gegen das NS-Regime

Obwohl es schwer war, sich dem Druck und der Beeinflussung zu entziehen, gab es von Beginn an auch Widerstand gegen das NS-Regime. Der reichte von der mehr oder weniger demonstrativen Verweigerung des »Hitlergrußes« über die Unterstützung verfolgter Mitmenschen bis zum aktiven Handeln.

Kommunisten, Sozialdemokraten und Gewerkschaften arbeiteten im Untergrund. Liberale und Konservative trafen sich heimlich, um zu beraten, was sie tun könnten. Es gab auch Geistliche, die in mutigen Predigten den Machtmissbrauch der Nazis offen anprangerten. Evangelische Christen um Pastor Niemöller schufen die »Bekennende Kirche«, um sich dem Einfluss der Politik auf die offizielle Kirche zu widersetzen. Auch junge Menschen leisteten Widerstand. Aus Protest gegen den militärischen Drill in der Hitlerjugend schlossen sich im Rhein-Ruhr-Gebiet Tausende von ihnen zusammen, um ihre Freizeit nach eigenen Vorstellungen zu gestalten. Sie gaben sich Namen wie »Edelweißpiraten«, verteilten Flugblätter und schrieben Anti-Hitler-Parolen an die Hauswände.

Noch bekannter wurde die Münchner studentische Widerstandsgruppe »Weiße Rose« um die Geschwister Sophie und Hans Scholl, die Flugblätter verteilten, in denen sie vor allem ihre Professoren und Mitstudenten zum Kampf gegen den nationalsozialistischen Terror aufforderten. Wie 13 der Edelweißpiraten mussten sie ihren Mut mit dem Leben bezahlen.

Der schwäbische Kunstschreiner Georg Elser plante im Alleingang ein Attentat auf Hitler, das dieser nur durch einen Zufall überlebte – wie einige andere Attentatsversuche auch.

Ab 1938 gab es sogar in Kreisen der Wehrmacht den Gedanken, Hitler auszuschalten, um einen nächsten Weltkrieg

Die Mitglieder der »Weißen Rose« Hans Scholl, Sophie Scholl und Christoph Probst. Denunziert vom Hausmeister der Münchner Universität, wurden sie nach einer ihrer Flugblattaktionen verhaftet. Vier Tage später, am 22.2.1943, wurden sie zum Tode verurteilt und hingerichtet.

zu verhindern. Doch erst als dieser Krieg längst im Gange und für Deutschland nicht mehr zu gewinnen war, entschloss man sich zum Handeln: Am 20. Juli 1944 verübte der Oberst Graf von Stauffenberg ein Attentat auf Hitler, aber wieder rettete ein Zufall dem Diktator das Leben.

Insgesamt wurden während der NS-Diktatur ungefähr 13 000 Menschen wegen ihres Widerstandes zum Tod verurteilt. 12 000 dieser Urteile wurden vollstreckt.

Von Hitlers Rassenwahn zum Holocaust

In allen Diktaturen wurde und wird versucht, selbstständiges Denken auszuschalten und Andersdenkende zum Schweigen zu bringen. Darin unterschied sich das Dritte Reich nicht von anderen Diktaturen. Worin es sich unterschied, war Hitlers Weltanschauung und hier vor allem die Rassenlehre, der er anhing und die sich bei ihm zu einem regelrechten Wahn entwickelte. Danach gab es höherwertige und minderwertige Rassen; ganz oben stand die nordische Rasse der »Arier«, ganz unten die der Juden. Für Hitler entsprach es gleichsam einem Naturgesetz, dass sich die verschiedenen Rassen einen erbarmungslosen Kampf ums Überleben lieferten, bei dem der Starke das Recht, ja sogar die Pflicht habe, den Schwachen zu vernichten, um die Höherentwicklung der Menschheit zu fördern.

Diese pseudowissenschaftliche, ganz und gar unsinnige Lehre geisterte seit der Mitte des 19. Jahrhunderts durch Europa. In Deutschland aber fiel sie, vor allem nach dem Ersten Weltkrieg, auf besonders fruchtbaren Boden. Doch trotz einer tief in die deutsche Geschichte zurückreichenden Judenfeindlichkeit, eines weit verbreiteten »Antisemitismus«, konnten sich nur wenige vorstellen, dass Hitler diese primitive Rassenlehre in die Praxis umsetzen würde. Und als am 1. April 1933 zum Boykott jüdischer Geschäfte aufgerufen wurde, mochten viele zuerst an einen Aprilscherz glauben. Doch beim Anblick der SA-Männer, die vor den Geschäften, Arzt- und Anwaltspraxen Posten bezogen, wurde deutlich, dass von einem Scherz keine Rede sein konnte. Es war der Beginn zahlloser Hetzkampagnen und Schikanen, die Juden zur Auswanderung treiben sollten.

1935 folgte der nächste Schritt: die »Nürnberger Gesetze«. Das »Reichsbürgergesetz« erkannte den Juden die deutsche Staatsbürgerschaft ab; das »Gesetz zum Schutze des deutschen Blutes und der deutschen Ehre« verbot Eheschließungen und außereheliche Beziehungen zwischen Nichtjuden und Juden.

Etwa 130 000 Juden waren bereits ausgewandert, als am 9. November 1938 überall in Deutschland die Synagogen in Brand gesetzt wurden. In dieser so genannten »Reichskristallnacht« demolierten und plünderten SA- und SS-Männer jüdische Geschäfte und Häuser. 91 Juden wurden ermordet, etwa 30 000 von der »Gestapo«, der Geheimen Staatspolizei, verhaftet und in Konzentrationslager verschleppt. Dort mussten sie schwer arbeiten, bekamen wenig zu essen und wurden brutal misshandelt. Die Folge war, dass viele an Erschöpfung starben.

Nach der »Reichskristallnacht« verließen noch einmal 80 000 Juden das Land. Wer als deutscher Jude immer noch in seiner Heimat bleiben wollte, musste weitere Demütigungen hinnehmen, wurde aus dem Wirtschaftsleben ausgeschlossen und seines Eigentums beraubt. All das geschah keineswegs geheim, sondern vor den Augen der Öffentlichkeit.

Von 1941 an war die Drangsalierung der Juden in Deutschland offensichtlich im wahrsten Sinne des Wortes: Nun mussten sie, wie schon seit 1939 die Juden im besetzten Polen, einen gelben Stern auf der linken Brustseite ihrer Kleidung tragen.

Nach dem Überfall auf Polen und dem Beginn des Zweiten Weltkriegs begann die von Hitler immer wieder angekündigte »Vernichtung der jüdischen Rasse in Europa«, der »Holocaust«. Anfangs wurden die polnischen Juden noch in Gettos gepfercht, aber schon bald begannen die Einsatztruppen der SS mit Massenerschießungen. Auch im Russlandfeldzug folgten diese Mordkommandos den Soldaten der Wehrmacht und töteten die in den eroberten Gebieten lebenden Juden. Aber Massenerschießungen waren den Verantwortlichen bald nicht mehr effektiv genug. Darum trafen sich am 20. Januar 1942 hohe Verwaltungsbeamte und SS-Führer in Berlin, um geeignete Maßnahmen für das zu beschließen, was man die »Endlösung der Judenfrage« nannte. Wer das Protokoll dieser »Wannsee-Konferenz« liest, hat nicht den Eindruck, als sei es da um Menschen gegangen. 11 Millionen europäische Juden sollten »erfasst« und, so heißt es in dem Protokoll weiter: »... in geeigneter Weise im Osten zum Arbeitseinsatz kommen ..., wobei zweifellos ein Großteil durch natürliche Verminderung ausfallen wird. Der allfällig endlich verbleibende Restbestand wird, da es sich bei diesem zweifellos um den widerstandsfähigsten Teil handelt, entsprechend behandelt werden müssen.«

Für diese »Sonderbehandlung« wurden neue große Lager mit einer ausreichenden Vernichtungskapazität geplant. Der einzige Zweck dieser Vernichtungslager war die Ermordung von Menschen und die Beseitigung ihrer Leichname.

In der Weltgeschichte hat es zu allen Zeiten große Verbrechen gegeben. Aber die Errichtung von Todesfabriken, in denen Angehörige einer Religionsgemeinschaft systematisch umgebracht wurden, ist mit nichts zu vergleichen. Allein im Konzentrationslager Auschwitz wurden

Im Frühjahr 1943 waren 300 000 Warschauer Juden in Vernichtungslager gebracht worden. 75 000 lebten noch im Warschauer Getto. Als auch sie »deportiert« werden sollten, kam es zum Aufstand. Doch die SS war stärker und der Aufstand wurde niedergeschlagen. Das Bild zeigt den Abtransport einer Gruppe von Überlebenden ins Konzentrationslager.

5 000 bis 6 000 Menschen pro Tag vergast und verbrannt. Insgesamt wurden bis zum Kriegsende etwa 6 Millionen Juden ermordet. Viele jüdische Frauen und Männer wollten selbst dann noch nicht glauben, was da geschah, als sie vor den als Duschräumen getarnten Gaskammern standen. Es war unbegreiflich – und ist es bis heute geblieben.

Was aber haben die anderen, nichtjüdischen Menschen überall in Deutschland vom Holocaust gewusst? Das ist eine Frage, über die bis heute gestritten wird. Sicher ist, dass Hitler viele »willige Helfer« fand, sonst hätte die Maschinerie der Massenvernichtung nicht funktionieren können. Und sicher ist auch, dass niemandem in Deutschland verborgen bleiben konnte, wie die jüdischen Mitbürger, aber auch andere von den Nationalsozialisten Verfolgte wie Sinti und Roma oder Homosexuelle erst schikaniert, dann ausgegrenzt und schließlich »abgeholt« wurden. Jedermann wusste, dass es Konzentrationslager gab und dass Menschen, die dort eingesperrt wurden, nichts Gutes zu erwarten hatten. Viele wussten, dass in den Konzentrationslagern systematisch gemordet wurde, und manche haben das später auch zugegeben; andere müssen es gewusst haben, auch wenn sie es nicht zugeben wollten. Viele Menschen in Deutschland aber konnten sich einen organisierten Massenmord wohl auch einfach nicht vorstellen.

Nicht vergessen sollte man in diesem schrecklichsten Kapitel der deutschen Geschichte, dass es auch Menschen gab, die jüdischen Mitbürgern geholfen und dabei nicht selten das eigene Leben aufs Spiel gesetzt haben. Einer von ihnen, der Fabrikant Oskar Schindler, ist durch Steven Spielbergs Film *Schindlers Liste* weltberühmt geworden.

Der totale Krieg

Konnte man bei Wilhelm II. noch sagen, er habe den Krieg nicht wirklich gewollt, so kann davon bei Hitler keine Rede sein. Schon am 3. Februar 1933 sprach er vor der versammelten deutschen Generalität von der »Ausrottung des Marxismus« und der »Eroberung neuen Lebensraums im Osten und dessen rücksichtsloser Germanisierung«.

Nach außen spielte Hitler zwar den Friedensengel, aber er arbeitete von Anfang an auf einen Krieg hin. Zuerst sah es noch so aus, als ginge es ihm nur um die schrittweise Revision des Versailler Vertrages und die Zurückgewinnung der 1919 abgetretenen Gebiete: 91% der saarländischen Bevölkerung entschieden sich per Volksabstimmung für Deutschland; das entmilitarisierte Rheinland wurde von deutschen Truppen besetzt; Österreich wurde »heim ins Reich« geholt, ebenso das Sudetenland mit seinen 3,5 Millionen Deutschen. Das alles lief unter der Parole, die Hitler schon in *Mein Kampf* verkündet hatte: »Gleiches Blut gehört in ein gemeinsames Reich.«

Aus Furcht vor einem Krieg reagierten die europäischen Mächte jeweils nur mit schwachen Protesten und versuchten, Hitler durch Zugeständnisse zu beschwichtigen. Doch diese »Appeasement«-Politik bewies Hitler nur die Schwäche der anderen Staaten und ermunterte ihn, seine expansive Außenpolitik fortzusetzen.

Die Bewunderung für »den Führer« wuchs bei immer mehr Deutschen. Was die Weimarer Politiker jahrelang mit mäßigem Erfolg versucht hatten, war Hitler scheinbar mühelos gelungen: Deutschland von dem »Versailler Schanddiktat« zu befreien.

Die nationalsozialistische Propaganda glorifizierte Hitler dann auch als »Schöpfer Großdeutschlands«. Er wurde als der neue Messias dargestellt, für den nichts unmöglich sei. Und Hitler selbst sagte: »Die Vorsehung hat mich zu dem größten Befreier der Menschheit vorbestimmt. An die Stelle des Dogmas von dem stellvertretenden Leiden und Sterben eines göttlichen Erlösers tritt das stellvertretende Leben und Handeln des neuen Führergesetzgebers, das die Masse der Gläubigen von der Last der freien Entscheidung entbindet.«

»Führer, befiehl, wir folgen!«, wurde der Leitspruch für die Mehrheit der Deutschen. Sie folgten ihm auch, als er nur 25 Jahre nach dem Beginn des Ersten Weltkriegs mit dem Überfall auf Polen am 1. September 1939 den Zweiten Weltkrieg entfesselte.

Eine Woche zuvor hatten Deutschland und die Sowjetunion zur Überraschung der Weltöffentlichkeit den »Hitler-Stalin-Pakt« geschlossen, in dem sie sich für den Kriegsfall zu »wohlwollender Neutralität« verpflichteten. In einem geheimen Zusatzprotokoll hatten sie auch gleich noch Polen unter sich aufgeteilt.

Hitler hoffte, mit diesem Vertrag England und Frankreich am Kriegseintritt zu hindern. Und so kam es auch. Beide erklärten Deutschland zwar am 3. September 1939 den Krieg, aber sie ließen der Erklärung keine Taten folgen. Nachdem Polen in einem »Blitzkrieg« besiegt und geteilt worden war, wollte Hitler die Siegesstimmung nutzen und sofort gegen Frankreich marschieren. Doch der Generalstab hatte Bedenken gegen den Westfeldzug und konnte Hitler mehrmals zur Verschiebung des Angriffs bewegen. Im Frühjahr 1940 aber ließ er sich nicht mehr länger hinhalten und gab am 9. April den Angriffsbefehl. Deutsche Truppen besetzten Dänemark und Norwegen. Am 10. Mai begann der Angriff auf die Niederlande, Belgien und Frankreich. Die im Polenfeldzug erprobte Blitzkriegstrategie war wieder erfolgreich und schon am 14. Juni zogen deutsche Truppen in Paris ein.

Hitler hatte den Westfeldzug trotz der Bedenken des Generalstabs geführt und genoss nun den Triumph. Am 22. Juni 1940 wurde der Waffenstillstand im Wald von Compiègne in dem gleichen Salonwagen unterzeichnet, in dem die Deutschen am 11. November 1918 den Waffenstillstand hatten unterzeichnen müssen. Frankreich war nicht nur besiegt worden, es wurde auch noch gedemütigt – wie Deutschland in Versailles 1919 gedemütigt worden war. Hitlers Rückkehr nach Berlin wurde zu einem triumphalen Ereignis. Er stand auf dem Gipfel seiner Popularität und war für die meisten Deutschen der »größte Feldherr aller Zeiten«. Nichts und niemand schien ihn aufhalten zu können.

Hitler hätte sich jetzt am liebsten seinem eigentlichen Ziel, der »Eroberung von Lebensraum im Osten«, zugewandt. Aber weil der neue englische Premierminister Winston Churchill ein Friedensangebot zurückwies, wollte Hitler England rasch in die Knie zwingen. Am 13. August 1940 begann die »Luftschlacht über England«. Doch entgegen allen Erwartungen von deutscher Seite gelang es nicht, den englischen Widerstandswillen zu brechen und die Lufthoheit über England zu erringen. Darum ließ Hitler die Angriffe im Frühjahr 1941 einstellen und das »Unternehmen Barbarossa«, den Krieg gegen die Sowjetunion, vorbereiten – trotz des bestehenden Nichtangriffspaktes.

Im Morgengrauen des 22. Juni 1941 überschritten mehr

als 3 Millionen Soldaten die Grenze zum sowjetischen Reich. Sie rückten rasch vor, und alles schien auf einen erneuten schnellen Sieg hinzudeuten. Im September wurde Kiew erobert, Leningrad eingeschlossen und deutsche Truppen näherten sich Moskau. Am 2. Oktober gab Hitler den Befehl, Leningrad und Moskau dem Erdboden gleichzumachen, selbst wenn die beiden Millionenstädte kapitulieren sollten. Dieser Befehl verstieß gegen alle Konventionen der Kriegsführung und hätte einen beispiellosen Massenmord an der Zivilbevölkerung bedeutet – aber der Mitte Oktober verfrüht einsetzende, außergewöhnlich harte Winter kam den Russen zu Hilfe. Auf so einen russischen Winter war die deutsche Wehrmacht nicht vorbereitet. Ebenso wenig auf die ungeahnten russischen Fähigkeiten, die gigantischen Verluste an Menschen und Material zu verkraften und immer neue Armeen aufzustellen.

Hitlers Plan war fehlgeschlagen. Zwar konnten deutsche Truppen im Sommer 1942 noch einmal bis Stalingrad vorrücken, aber der zweite russische Winter brachte endgültig die Wende. Die 6. Armee bei Stalingrad kapitulierte vor der sowjetischen Übermacht.

Inzwischen waren auch die USA aktiv in die Kriegshandlungen eingetreten und bombardierten zusammen mit englischen Flugzeugen immer häufiger deutsche Städte. Zu dieser Zeit lud Propagandaminister Goebbels Parteimitglieder zu einer Massenkundgebung in den Berliner Sportpalast und fragte die Menge: »Wollt ihr den totalen Krieg? Wollt ihr ihn, wenn nötig, totaler und radikaler, als wir ihn uns heute überhaupt noch vorstellen können?«

Die Menge antwortete mit begeistertem »Ja!«. Und sie

bekamen den totalen Krieg, an dessen Ende in vielen deutschen Städten nur noch Ruinen standen.

Dieser schrecklichste Krieg der Weltgeschichte forderte 55 Millionen Menschenleben. Viele Millionen hatten zwar ihr Leben behalten, aber ihren Besitz und ihre Heimat verloren. Leid und Elend waren unbeschreiblich.

Im Frühjahr 1945 war das Deutsche Reich vollständig von den gegnerischen Truppen besetzt. Am 8. Mai kapitulierte es bedingungslos; den Nationalstaat der Deutschen gab es nicht mehr.

Adolf Hitler hatte wenige Tage vor Kriegsende Selbstmord begangen. Seine Abschiedsworte waren: »Das deutsche Volk hat sich als das schwächere erwiesen und dem stärkeren Ostvolk gehört ausschließlich die Zukunft. Was nach diesem Kampf übrig bleibt, sind ohnehin nur die Minderwertigen, denn die Guten sind gefallen!«

Auch Goebbels beging Selbstmord. Die anderen führenden Männer des Dritten Reiches wurden von den Siegermächten vor ein internationales Militärgericht gestellt. Zwölf der »Hauptkriegsverbrecher« verurteilte das Gericht im »Nürnberger Prozess« von 1945/46 zum Tode, andere zu langen Gefängnisstrafen. Bereut haben von ihnen nur wenige.

Was soll aus Deutschland werden?

Dem totalen Krieg folgte der totale Zusammenbruch. Die Deutschen standen vor einem riesigen Trümmerhaufen und dem völligen Neuanfang in der »Stunde Null«. Nicht

nur die Städte lagen in Schutt und Asche, auch Über-
zeugungen, Wünsche, Hoffnungen und Träume waren
zerbrochen – und mit ihnen viele Menschen. Der junge,
vom Krieg schwer gezeichnete Dichter Wolfgang Borchert
hat davon in seinem Heimkehrerstück *Draußen vor der
Tür* auf beeindruckende Weise erzählt.

Dem Kampf an den Fronten folgte nun der Kampf
ums Überleben in den Ruinen. Da viele Männer gefallen
oder in Kriegsgefangenschaft waren, mussten die
»Trümmerfrauen« die Hauptlast dieses Überlebens-
kampfes tragen. Vor allem in den zerbombten Groß-
städten leisteten sie in den ersten Nachkriegsjahren
beinahe Übermenschliches.

Die Masse der Bevölkerung hatte nicht genug zu essen
und war unterernährt. Was man mit Lebensmittelkarten
bekam, war zum Leben zu wenig und zum Sterben zu viel.
Wer noch Schmuck oder andere Wertgegenstände besaß,
konnte bei »Hamsterfahrten« aufs Land oder auf dem
»Schwarzen Markt« ein paar Lebensmittel besorgen. Die
Grenzen zwischen Erlaubtem und Unerlaubtem, zwischen moralisch und unmoralisch wurden in diesen schweren Zeiten fließend. »Erst kommt das Fressen, dann
kommt die Moral«, hatte schon Bertolt Brecht in der *Drei-
groschenoper* geschrieben. Nach dieser Devise handelten
viele Menschen, weil ihnen kaum etwas anderes übrig
blieb, wenn sie überleben wollten.

Während deutsche Frauen, Kinder und Männer die
Trümmer, so gut es ging, wegräumten und sich notdürftig
einrichteten, berieten die alliierten Siegermächte darüber,
was aus Deutschland werden sollte. In erster Linie ging es
ihnen darum, »Deutschland und vor allem Preußen daran

zu hindern, ein drittes Mal über uns herzufallen«, wie Churchill es formulierte.

Auf der Potsdamer Konferenz vom 17. Juli bis 2. August 1945 demonstrierten der englische Premier Churchill, der sowjetische Staats- und Parteichef Stalin und der neue amerikanische Präsident Truman denn auch noch Einigkeit: »Der deutsche Militarismus und Nazismus werden ausgerottet und die Alliierten treffen nach gegenseitiger Vereinbarung in der Gegenwart und in der Zukunft auch andere Maßnahmen, die notwendig sind, damit Deutschland niemals mehr seine Nachbarn oder die Erhaltung des Friedens in der ganzen Welt bedrohen kann. Es ist nicht die

Wie in Hamburg sah es 1945 in vielen deutschen Städten aus.

Absicht der Alliierten, das deutsche Volk zu vernichten oder zu versklaven. Die Alliierten wollen dem deutschen Volk die Möglichkeit geben, sich darauf vorzubereiten, sein Leben auf einer demokratischen und friedlichen Grundlage von neuem wieder aufzubauen.«

Aber vorerst war Deutschland nicht mehr als ein »geografischer Begriff«, wie es Stalin ausdrückte. Seine Zukunft lag allein in den Händen der »Großen Drei«. Und die beschlossen in Potsdam Folgendes:

– Deutschland (in den Grenzen von 1937) wird in vier Besatzungszonen, Berlin in vier Sektoren aufgeteilt (Frankreich wurde zu den Siegermächten gezählt).
– Die Gebiete östlich der Oder-Neiße-Linie kommen unter polnische und sowjetische Verwaltung.
– Die oberste Instanz bildet der Alliierte Kontrollrat, der sich aus den Militärbefehlshabern der vier Besatzungszonen zusammensetzt. In den vier Zonen übt jede Besatzungsmacht die alleinige Regierungsgewalt in eigener Verantwortung aus.
– Jede Besatzungsmacht befriedigt ihre Reparationsansprüche zuerst aus ihrer Zone.
– Deutschland wird völlig entmilitarisiert und die gesamte Kriegsindustrie wird zerstört.
– Die NSDAP und ihre Unterorganisationen werden verboten, Nationalsozialisten aus öffentlichen Ämtern entfernt.
– Eine zentrale deutsche Regierung bleibt verboten, aber die kommunale Selbstverwaltung wird ermöglicht.
– Deutsche aus den Ostgebieten werden »in ordnungsgemäßer und humaner Weise« nach Westen überführt.

Auf Grund des Potsdamer Abkommens kam es zu einer wahren Völkerwanderung von Ost nach West; von »ordnungsgemäß und human« konnte freilich keine Rede sein. Etwa 12 Millionen Menschen wurden gewaltsam vertrieben und mussten in den westlichen Zonen mit ernährt und versorgt werden. Das führte schon 1946/47 an den Rand des völligen wirtschaftlichen Zusammenbruchs. Um die Lebensfähigkeit der Westzonen zu sichern, wurden der Abbau – die »Demontage« – von Industrieanlagen zu Reparationszwecken vorläufig eingestellt und der Sowjetunion weitere Reparationslieferungen aus diesen Zonen verweigert. Zur Verbesserung der Versorgungslage schlugen die USA außerdem eine wirtschaftliche Vereinigung der vier Besatzungszonen vor. Die Sowjetunion aber sah darin den Versuch, ganz Deutschland auf die »westlichkapitalistische Seite« zu ziehen, und lehnte ab. Umgekehrt betrachteten die drei Westmächte die sowjetische Politik zunehmend misstrauisch und unterstellten Stalin, er wolle ganz Deutschland der kommunistischen Sowjetunion einverleiben.

Die Gemeinsamkeiten der »Anti-Hitler-Koalition« schwanden immer mehr, die Gegensätze zwischen Ost und West traten immer deutlicher in den Vordergrund. Die USA und die Sowjetunion als neue »Supermächte« versuchten ihren Einflussbereich zu sichern und nach ihren Vorstellungen zu gestalten. Man befand sich mitten in der Auseinandersetzung zwischen dem System der parlamentarischen Demokratie mit marktwirtschaftlicher Ordnung westlicher Prägung und dem kommunistischen Einparteienstaat mit einer staatlich gelenkten Planwirtschaft. Weil dieser Kampf der Systeme nicht mit militärischen, sondern mit wirtschaftlichen und propagandistischen Mitteln geführt wurde, sprach man vom »Kalten Krieg«.

Die amerikanische Regierung wollte eine Ausdehnung des Kommunismus in Europa durch eine neue Eindämmungspolitik – »Containment« – verhindern. Durch Militär- und Wirtschaftshilfe sollte zumindest Westeuropa so gestärkt werden, dass es sowjetischen Expansionsgelüsten Widerstand leisten konnte. Diese neue Politik aber hatte auch eine neue Besatzungspolitik zur Folge: In der amerikanischen und britischen Zone wurde die Demontage von Industriebetrieben völlig eingestellt, und beide Zonen schlossen sich am 1. Januar 1947 zur »Bizone« zusammen. Später kam auch noch die französische Zone dazu und machte die »Bi-« zur »Trizone«.

Der amerikanische Außenminister George Marshall

1945 in Potsdam demonstrieren Churchill, Truman und Stalin noch Einigkeit.

verkündete am 5. Juni 1947 ein Programm zum Wiederaufbau der europäischen Wirtschaft. Auch die drei westlichen Zonen Deutschlands erhielten Mittel aus diesem »Marshall-Plan«, was den Wiederaufbau in den Westzonen förderte – aber auch einen weiteren Schritt zur Teilung Deutschlands bedeutete.

Mit der »Währungsreform«, der Einführung der »Deutschen Mark« in den drei Westzonen am 21. Juni 1948, wurde die wirtschaftliche Spaltung Deutschlands endgültig vollzogen. Als die Westmächte die D-Mark auch in den Westsektoren Berlins einführen wollten, verhängte die Sowjetunion eine »Blockade«: Alle Straßen, Eisenbahn-

1948 befand man sich bereits mitten im »Kalten Krieg«. »Rosinenbomber« nannten die Westberliner die Flugzeuge, die sie während der Berlinblockade aus der Luft versorgten.

linien und Wasserwege zwischen Westberlin und Westdeutschland wurden gesperrt. Auf diese Weise wollte Stalin die Westmächte unter Druck setzen und die Bildung
eines westlich orientierten westdeutschen Teilstaates
verhindern. Aber es kam anders. Die USA und England
beschlossen, Westberlin über eine »Luftbrücke« zu versor-
gen. Mit einer kaum für möglich gehaltenen Leistung wurden 2 Millionen Menschen elf Monate lang per Flugzeug
mit allem versorgt, was sie zum Überleben brauchten. Alle
zwei bis drei Minuten landete ein »Rosinenbomber« auf
einem der drei Westberliner Flughäfen.

Am 12. Mai 1949 gab die Sowjetunion ihren Erpres-
sungsversuch auf und beendete die Blockade. Sie war die
erste kritische Phase des Kalten Krieges und ließ Westberliner, Westdeutsche und Westalliierte näher zusammenrü-
cken. Die fühlten sich erstmals seit 1945 als Verbündete
und sahen ihren gemeinsamen Hauptfeind in der Sowjetunion. Stalin hat mit der Berliner Blockade also genau das
gefördert, was er verhindern wollte.

Zwei Deutschland

Im Potsdamer Abkommen hatten die Alliierten als eines
der wichtigsten Ziele die Demokratisierung des politischen
Lebens in Deutschland genannt. Und schon im Sommer
1945 wurden in ganz Deutschland demokratische Partei-
en zugelassen. Dazu zählten als erste die Parteien, die gegen den Nationalsozialismus Widerstand geleistet hatten:
KPD und SPD. Zu ihnen gesellte sich in der Ostzone die

»Liberal-Demokratische Partei Deutschlands« (LDPD), die sich in den Westzonen »Freie Demokratische Partei« (FDP) nannte. Neben diesen »alten« Parteien bildete sich mit der »Christlich Demokratischen Union« (CDU) – in Bayern »Christlich Soziale Union« (CSU) – eine neue, überkonfessionelle, bürgerliche Partei.

In der Ostzone dauerte der Parteienwettstreit um die Gunst der Wähler allerdings nicht lange. Auf Druck der sowjetischen Besatzungsmacht musste sich die SPD mit der KPD zur »Sozialistischen Einheitspartei Deutschlands« (SED) vereinigen. Danach erfolgte schrittweise die Umwandlung dieser SED in eine von Moskau gelenkte kommunistische Partei. Auch die anderen Parteien verloren bald ihre Selbstständigkeit und waren kaum mehr als Anhängsel der SED.

In den Westzonen zeigte sich schon bei den ersten Landtagswahlen in den Jahren 1946/47, dass die »alte« SPD und die neue CDU/CSU die stärksten politischen Kräfte waren. KPD und FDP kamen im Durchschnitt auf jeweils knapp 10% der Wählerstimmen.

Als die Gegensätze zwischen den Alliierten immer deutlicher wurden, beauftragten die Westmächte die westdeutschen Ministerpräsidenten, eine verfassunggebende Nationalversammlung einzuberufen. Die Ministerpräsidenten aber scheuten sich, einen westdeutschen Staat zu errichten und damit die Spaltung zwischen West und Ost festzuschreiben. Sie plädierten für ein »Provisorium«, das den Weg zur späteren Gründung eines gesamtdeutschen Staates offen halten sollte. Deswegen beriefen sie auch keine Nationalversammlung ein, sondern einen »Parlamentarischen Rat«, dessen 65 Mitglieder von den Landtagen gewählt wurden. Um das Provisorische zu betonen, sollte der Parlamentarische Rat keine Verfassung, sondern nur ein »Grundgesetz« ausarbeiten.

Am 1. September 1948 trat der Parlamentarische Rat erstmals zusammen und wählte den CDU-Politiker Konrad Adenauer zu seinem Präsidenten. Bei den Beratungen orientierten sich die Väter und Mütter des Grundgesetzes an der Weimarer Verfassung, versuchten jedoch deren Schwächen und Fehler zu vermeiden.

Der SPD-Abgeordnete Carlo Schmid forderte schon in der zweiten Sitzung: »Der Staat soll nicht alles tun können, was ihm gerade bequem ist, wenn er nur einen willfährigen Gesetzgeber findet, sondern der Mensch soll Rechte haben, über die auch der Staat nicht soll verfügen können. Die Grundrechte müssen das Grundgesetz regieren; sie dürfen nicht nur Anhängsel des Grundgesetzes sein, wie der Grundrechtskatalog von Weimar ein Anhängsel der Verfassung gewesen ist.«

Diese Auffassung setzte sich durch und führte zu Artikel 1 des Grundgesetzes:

» (1) Die Würde des Menschen ist unantastbar. Sie zu achten und zu schützen ist Verpflichtung aller staatlichen Gewalt.

(2) Das Deutsche Volk bekennt sich darum zu unverletzlichen und unveräußerlichen Menschenrechten als Grundlage jeder menschlichen Gemeinschaft, des Friedens und der Gerechtigkeit in der Welt.

(3) Die nachfolgenden Grundrechte binden Gesetzgebung, vollziehende Gewalt und Rechtsprechung als unmittelbar geltendes Recht.«

Auch über den Aufbau des Staates war man sich bald einig. Nach den Erfahrungen im Dritten Reich kam ein zentralistischer Einheitsstaat nicht in Frage. Der Artikel 20 des Grundgesetzes legte fest:

»(1) Die Bundesrepublik Deutschland ist ein demokratischer und sozialer Bundesstaat.

(2) Alle Staatsgewalt geht vom Volke aus. Sie wird vom Volke in Wahlen und Abstimmungen und durch besondere Organe der Gesetzgebung, der vollziehenden Gewalt und der Rechtsprechung ausgeübt.

(3) Die Gesetzgebung ist an die verfassungsmäßige Ordnung, die vollziehende Gewalt und die Rechtsprechung sind an Gesetz und Recht gebunden.«

1968 wurde dem noch ein vierter Absatz hinzugefügt:

»(4) Gegen jeden, der es unternimmt, diese Ordnung zu beseitigen, haben alle Deutschen das Recht zum Widerstand, wenn andere Abhilfe nicht möglich ist.«

In Artikel 79 wurden die Grundrechtsartikel 1 und 20 als unaufhebbar bezeichnet. Sie sollten das Fundament des neuen Staates bilden.

Weil der Reichspräsident in der Endphase der Weimarer Republik durch seine starke Stellung eine verhängnisvolle Rolle gespielt hatte, wurden die Rechte des Bundespräsidenten deutlich eingeschränkt – manche sagten später etwas spöttisch, er sei kaum mehr als der »oberste Notar und Grüß-Gott-Onkel« der Republik. Dafür wurde die Position des Kanzlers gestärkt. Der Bundestag sollte ihn nur dann abwählen können, wenn er gleichzeitig einen neuen Kanzler wählt. Dieses »konstruktive Misstrauensvotum« sollte Weimarer Verhältnisse verhindern und stabilere Regierungen ermöglichen.

Genau vier Jahre nach der bedingungslosen Kapitulation, am 8. Mai 1949, wurde der Grundgesetzentwurf mehrheitlich angenommen. Dagegen stimmten die KPD und sechs der acht CSU-Abgeordneten.

Die Westmächte genehmigten den Entwurf und am 23. Mai 1949 wurde das »Grundgesetz für die Bundesrepublik Deutschland« verkündet. In der Präambel (der Einleitung) hieß es, der Parlamentarische Rat »hat auch für jene Deutschen gehandelt, denen mitzuwirken versagt war. Das gesamte deutsche Volk bleibt aufgefordert, in freier Selbstbestimmung die Einheit und Freiheit Deutschlands zu vollenden.«

Beinahe im Gleichschritt, aber mit völlig anderem Ziel entwickelte sich die staatliche Neuordnung in der Ostzone. Im März 1948 tagte dort ein von der SED dominierter »Deutscher Volkskongress«, der unter anderem den »1. Deutschen Volksrat« wählte, der eine Verfassung ausarbeiten sollte. Am 22. Oktober 1948 lag ein Verfassungsentwurf vor, der für ganz Deutschland gelten sollte. Das war zu jener Zeit allerdings illusorisch, weil die Entwicklung in Ost und West viel zu unterschiedlich verlief. Als Reaktion auf die Verabschiedung des Grundgesetzes wurde am 29./30. Mai 1949 die »Verfassung der Deutschen Demokratischen Republik«, der DDR, vom 3. Volkskongress angenommen. Auch sie lehnte sich an die Weimarer Verfassung an, sah die allgemeine, gleiche, unmittelbare und geheime Wahl der Volkskammerabgeordneten vor und führte die Grundrechte auf. Aber viele Menschen glaubten von Anfang an nicht daran, dass diesen demokratischen Worten auch die entsprechenden Taten folgen würden. Dazu hielt die sowjetische Besatzungsmacht die Zügel zu straff in den Händen. Und nach allen Erfahrungen mit der kommunistischen Sowjetunion war nicht zu erwarten, dass sie in ihrem Machtbereich eine freiheitliche Demokratie dulden würde. Trotzdem wurde am 7. Oktober 1949 auf der Grundlage dieser Verfassung die Deutsche Demokratische Republik proklamiert. Damit gab es zwei Staaten in Deutschland.

Made in Western Germany

Am 14. August 1949 wurde der erste Deutsche Bundestag gewählt. Die CDU/CSU erhielt 31,0 %, die SPD 29,9 % der abgegebenen Stimmen. Die etwas stärkere »Union« fand mit der FDP und der Deutschen Partei zwei Parteien, die zu einer Koalition bereit waren. Am 15. September wählte der Bundestag mit einer Stimme Mehrheit den 73-jährigen Konrad Adenauer zum Bundeskanzler. Regierungssitz und Hauptstadt der Bundesrepublik war Bonn.

Erster Oppositionsführer im Deutschen Bundestag wurde der SPD-Vorsitzende Kurt Schumacher, erster Bundespräsident der Liberale Theodor Heuss.

Nun hatte die Bundesrepublik zwar ein Grundgesetz, einen Präsidenten, eine Volksvertretung, eine Regierung und eine Hauptstadt, aber ein souveräner Staat war sie trotzdem nicht. Die Westmächte behielten sich im »Besatzungsstatut« viele Rechte vor. So konnten sie in der Außenpolitik und Außenwirtschaft sowie bei Verfassungsfragen jederzeit in die Gesetzgebung eingreifen. Deshalb war Adenauers wichtigstes Ziel, dem neuen Staat die volle Souveränität und internationale Gleichberechtigung zu verschaffen. Das machte er den westlichen Alliierten bei seinem Antrittsbesuch gleich symbolisch deutlich. Deren Vertreter standen auf einem großen Teppich, Adenauer und seine Kabinettsmitglieder sollten sich am anderen Ende des Raumes auf den Fußboden stellen. Aber der deutsche Bundeskanzler trat wie selbstverständlich auf den Teppich. Diese Geste sagte mehr als viele Worte.

Dem kleinen Schritt auf den Teppich folgten weitere Schritte auf dem Weg zur Souveränität. Aber vermutlich wäre alles nicht so schnell gegangen, wenn nicht das kommunistische Nordkorea, unterstützt von der Sowjetunion, im Juni 1950 Südkorea angegriffen hätte. Bei den westlichen Staatsmännern läuteten die Alarmglocken. Was sie seit langem befürchteten, schien sich nun zu bestätigen: Die Sowjetunion setzte ihre aggressive Expansionspolitik fort. Vielleicht war die Bundesrepublik eines der nächsten Ziele. Schließlich gab es in der DDR längst eine »Kasernierte Volkspolizei«, die nichts anderes als eine Armee war.

Vor diesem Hintergrund entstand der Plan, die Bundesrepublik Deutschland als »Vorposten der freien Welt« in das westliche Verteidigungskonzept einzubeziehen. Adenauer sah die große Chance, seinen drei Hauptzielen auf einen Schlag näher zu kommen: der Souveränität und der Einbindung ins westliche Lager, der Absicherung gegen den östlichen Kommunismus und der Aussöhnung mit Frankreich als Grundlage eines vereinten Europas.

Gegen heftige Widerstände der Opposition und auch aus den eigenen Reihen versprach Adenauer den Westmächten, die Bundesrepublik werde sich an einer »Europäischen Verteidigungsgemeinschaft« (EVG) beteiligen. Damit waren die Weichen nach Westen endgültig gestellt.

Im Frühjahr 1952 unternahm Stalin einen letzten Versuch, den Zug noch zu stoppen. Er schlug die Vereinigung der beiden deutschen Staaten zu einem neutralen, »demokratischen und friedlichen« Gesamtdeutschland unter alliierter Kontrolle vor. Damals sahen viele in dieser »Stalin-Note« eine große Chance, die deutsche Einheit doch noch zu erreichen und Deutschland aus dem Ost-West-Konflikt herauszuhalten. Aber die Westmächte lehnten Stalins Angebot ab und die Bundesregierung schloss sich dieser Ablehnung an.

Die SPD war mit der »bedingungslosen Westintegration« nicht einverstanden, und Kurt Schumacher warf Adenauer in einer leidenschaftlichen Rede vor, nicht Kanzler der Deutschen, sondern »Kanzler der Alliierten« zu sein. Aber »der Alte«, wie ihn der Volksmund nannte, ließ sich durch nichts und niemanden von seinem Weg abbringen. Er führte die Bundesrepublik zielstrebig in die EVG, später in das westliche Verteidigungsbündnis, die NATO, und in die Europäische Wirtschaftsgemeinschaft (EWG). Weil Konrad Adenauer die westdeutsche Politik in den Anfangsjahren eindeutig dominierte, sprach man bald von einer »Kanzlerdemokratie«. Und die Mehrheit der Bürgerinnen und Bürger hatte gar nichts gegen einen starken Kanzler – zumal sein Weg der richtige zu sein schien.

Im März 1950 konnte endlich die Lebensmittelrationierung aufgehoben werden; von da an ging es beständig bergauf. Die großzügige amerikanische Unterstützung verschaffte der westdeutschen Wirtschaft einen kräftigen Wachstumsschub. An Stelle der zerstörten oder demontierten Fabriken entstanden modernste Produktionsanlagen, in denen immer mehr Menschen Arbeit fanden. Waren »Made in Western Germany« wurden dank ihrer Qualität bald überall geschätzt und gekauft.

Vielen Menschen im In- und Ausland schien dieser rasante Aufstieg aus den Ruinen wie ein Wunder. Und zum »Wirtschaftswunder« kam 1954 noch ein »Fußballwunder»: Die deutsche Fußballnationalmannschaft gewann in Bern gegen den hohen Favoriten Ungarn 3:2 und wurde damit Weltmeister. Das war Balsam auf die Seelen der Deutschen. Der Satz »Wir sind wieder wer!« machte die Runde und brachte die sich ändernde Stimmung auf den Punkt. Als Vater des »Fußballwunders« wurde der Bundestrainer Sepp Herberger gefeiert und verehrt. Als Vater des Wirtschaftswunders galt Ludwig Erhard, der schon vor der Gründung der Bundesrepublik das Konzept einer »Sozialen Marktwirtschaft« formuliert hatte: Die Wirtschaft sollte sich weitgehend frei entfalten können, aber in eine Gesellschaftspolitik eingebettet sein, die sozial Schwache schützen und letztlich »Wohlstand für alle« – so der Titel eines Buches von Ludwig Erhard und ein Wahlslogan der CDU – bringen sollte. Zwar brachte das Wirtschaftswunder nicht allen den gleichen Wohlstand, aber den meisten Bürgern der Bundesrepublik ging es – zumindest materiell – bald besser als je zuvor.

Der wirtschaftliche Aufstieg trug wesentlich zur politischen Stabilität der Bundesrepublik bei. Wurde Demo-

Der CDU-Politiker Ludwig Erhard gilt als Vater des deutschen »Wirtschaftswunders«.

kratie in der Weimarer Republik noch mit Niederlage und Massenarbeitslosigkeit gleichgesetzt, so bedeutete sie in der Bundesrepublik Erfolg und materielles Wohlergehen. Zum ersten Mal in der deutschen Geschichte war Demokratie für die große Mehrheit der Menschen etwas Positives – auch wenn diese positive Sicht bei vielen vorwiegend materiell begründet war. Manche Kritiker nannten die Deutschen deshalb auch »Schönwetterdemokraten«. Das mag nicht ganz unzutreffend gewesen sein. Aber nach fast 200 Jahren preußisch-deutscher Untertanenmentalität und zwölf Jahren »Führer, befiehl, wir folgen!« war wohl noch nicht mehr zu erwarten.

Die DDR mauert sich ein

Im zweiten deutschen Staat wählte die provisorische Volkskammer am 11. Oktober 1949 Wilhelm Pieck zum »Präsidenten der Republik« und einen Tag später Otto Grotewohl zum Ministerpräsidenten. Die tatsächliche Macht lag jedoch weder bei der Volkskammer noch bei der Regierung, sondern bei der SED und ihrem Generalsekretär Walter Ulbricht. Er hatte die SED seit 1948 nach den Prinzipien des »demokratischen Zentralismus« zu einer »Partei neuen Typs« durchorganisiert. Alle Entscheidungen der Parteispitze, des so genannten »Politbüros«, waren für alle unteren Ebenen absolut verbindlich. Innerparteiliche Willensbildung von unten nach oben war nicht vorgesehen.

Zwar existierten noch andere Parteien und Massenorganisationen wie der »Freie Deutsche Gewerkschaftsbund«, die »Freie Deutsche Jugend« oder der »Demokratische Frauenbund«, aber sie waren alle in der »Nationalen Front« zusammengeschlossen und standen unter SED-Kontrolle. Formal besaß die DDR wie die Bundesrepublik ein parlamentarisches System, in Wirklichkeit war sie ein Einparteienstaat. Zur Sicherung der SED-Herrschaft wurde 1950 das »Ministerium für Staatssicherheit« eingerichtet. Mit Hilfe von Spitzeln sollte die »Stasi« jede Opposition schon im Keim ersticken.

»Von der Sowjetunion lernen heißt siegen lernen«, lautete der SED-Slogan. Danach mussten zuerst einmal Industrie, Banken, Versicherungen und Großgrundbesitz verstaatlicht werden. Die Produktion sollte nicht mehr von Kapitalinteressen bestimmt, sondern zentral geplant und gesteuert werden. 1950 gab es den ersten »Fünfjah-resplan« in der DDR. Er legte fest, was wo in welchen Mengen produziert werden sollte. Auch Arbeitszeiten, Löhne und Preise bestimmte der Plan. Die »Volkseigenen Betriebe« (VEB) mussten die Pläne nur noch erfüllen – was allerdings leichter zu verlangen als auszuführen war. Denn trotz des Fleißes der ostdeutschen Bevölkerung erwies sich die zentral verwaltete Planwirtschaft als zu schwerfällig. Das zeigten Menschenschlangen vor Geschäften und Waren minderer Qualität überdeutlich. So hatten sich die Menschen den Sozialismus nicht vorgestellt. Als dann die SED am 28. Mai 1953 auch noch die Arbeitsnormen um 10% erhöhte, entlud sich die Unzufriedenheit in Massenstreiks. Dabei verlangten die Arbeiter zuerst nur die Rücknahme der Normerhöhung. Doch bald wurden die Ablösung Ulbrichts, die Beseitigung der Zonengrenze und freie Wahlen gefordert.

Die Führung des »Arbeiter- und Bauernstaates« war der sich schnell zuspitzenden Lage nicht gewachsen und rief die Sowjetunion zu Hilfe. Am 17. Juni 1953 walzten sowjetische Panzer den Aufstand nieder.

Die Menschen in der DDR hatten vergeblich auf Unterstützung und Hilfe aus dem Westen gehofft: Die Westmächte beließen es bei Protesten und machten damit deutlich, dass Ostdeutschland für sie genauso zum Ostblock gehörte wie Westdeutschland zum Westen.

Die meisten Menschen in der DDR waren enttäuscht, ergaben sich resigniert ihrem Schicksal und versuchten sich so gut im SED-Staat einzurichten, wie es eben ging. Wer das nicht wollte oder konnte, flüchtete in den Westen. Von 1949 bis 1961 waren das mehr als 2,5 Millionen Menschen, davon die Hälfte junge, gut ausgebildete Arbeiter und Akademiker. Durch diesen menschlichen Aderlass verlor die DDR gerade solche Bürgerinnen und Bürger, die sie zum Aufbau eines leistungsfähigen Staates besonders gebraucht hätte. Und die Welt konnte sich jeden Tag erneut davon überzeugen, dass vielen Menschen eine unsichere Zukunft im westlichen Kapitalismus lieber war als eine sichere Zukunft im »real existierenden Sozialismus«, wie man in der DDR inzwischen sagte. Dass die Führungen in Moskau und Ostberlin darüber nachdachten, wie sie diese »Abstimmung mit den Füßen« beenden könnten, war nicht verwunderlich. Doch wie sie es dann taten, überraschte und schockierte die Welt: In der Nacht zum 13. August 1961 verbarrikadierten bewaffnete Einheiten die Grenzübergänge von Ost- nach Westberlin mit Stacheldrahtverhauen, rissen Straßen auf und unterbrachen die S- und U-Bahn-Verbindungen. In den folgenden Tagen und Wochen ließ die SED-Führung eine 12 km lange Mauer zwischen Ost- und Westberlin bauen.

Die Westmächte reagierten zurückhaltend und betrachteten den Mauerbau als »Vorgang innerhalb des sowjetischen Machtbereichs«. Zu gefährlich erschienen ein Eingreifen oder auch nur Drohgebärden im Kalten Krieg der Großmächte. Bundeskanzler Adenauer blieb in Bonn und zeigte sich nicht in Berlin, was ihm vor allem die Berliner übel nahmen.

Noch während die Mauer gebaut wurde, wagten etwa 7000 Ostdeutsche die Flucht nach Westberlin.

Nach dem Bau der Berliner Mauer wurde auch die 1400 km lange Grenze zur Bundesrepublik systematisch dicht gemacht. In einem »Todesstreifen« wurden Minen gelegt und Selbstschussanlagen installiert. Die Grenzsoldaten bekamen den Befehl, auf »Republikflüchtlinge« zu schießen. Trotzdem wagten immer wieder Menschen die Flucht und mehr als 800 von ihnen bezahlten ihren Wunsch nach Freiheit mit dem Leben.

Der »antifaschistische Schutzwall«, wie die Mauer in der SED-Propaganda genannt wurde, führte zu einer wirtschaftlichen Stabilisierung des Landes. Bald hatte die DDR den höchsten Lebensstandard im Ostblock und wurde zu einer der führenden Industrienationen. Dennoch be-

Ein Bild, das um die Welt ging: Während des Mauerbaus nutzt ein DDR-Soldat die letzte Chance für den Sprung in den Westteil Berlins.

trachteten viele Bürger die DDR nicht als ihren Staat; angesichts der geschlossenen Grenze sahen sie jedoch kaum eine andere Möglichkeit, als sich mit ihm zu arrangieren.

Mehr Demokratie wagen

Seit neben den USA auch die Sowjetunion Atomwaffen besaß, konnte keine der beiden Großmächte mehr einen Krieg beginnen, ohne die eigene Vernichtung zu riskieren. Trotzdem ließen beide nichts unversucht, um ihren Machtbereich auszudehnen. Als die Sowjetunion 1962 im sozialistischen Kuba, also »vor der Haustür« der USA, Raketen stationierte, drohte sogar der dritte Weltkrieg. 13 Tage lang hielt die Welt den Atem an, ehe sich die beiden Supermächte doch noch einigten. Die Kuba-Krise vom Oktober 1962 und der drohende Atomkrieg waren gleichzeitig Höhe- und Wendepunkt des Kalten Krieges. Beide Seiten begriffen, dass eine Fortsetzung der bisherigen »Politik der Stärke« mit ihren gewaltigen Rüstungsprogrammen in die atomare Katastrophe führen konnte. So kam es zu ersten Schritten, die das Verhältnis zwischen den beiden Blöcken entspannen, den Rüstungswettlauf stoppen und zu einem friedlichen Nebeneinander führen sollten.

Diese veränderte »Großwetterlage« wirkte sich auch auf die deutsch-deutsche Politik positiv aus – wenn auch sehr langsam. Denn Adenauer und seine jeweilige Regierung hatten sich von Anfang an dagegen gewehrt, Ostdeutschland als einen Staat zu betrachten. Man sprach von der »Sowjetzone«, von »drüben«, von der »so genannten

DDR«, von einem »Phänomen«. Mit einem »Phänomen« aber konnte man nicht verhandeln. Deswegen gab es Kontakte – wenn überhaupt – nur auf unteren Ebenen. Diese starre Haltung wurde nun immer mehr kritisiert und die Rufe nach Veränderungen wurden immer lauter. Doch »der Alte« hörte diese Rufe nicht oder er wollte sie nicht hören. Vielleicht war er mit 87 Jahren nun wirklich zu alt, um noch einmal eine neue Politik anzufangen. So ging die Ära Adenauer zu Ende und Ludwig Erhard wurde im Oktober 1963 sein Nachfolger. Doch als Kanzler war der Vater des Wirtschaftswunders nicht so erfolgreich wie als Wirtschaftsminister. Ausgerechnet während seiner Regierungszeit erlebte die Bundesrepublik ihre erste Wirtschaftskrise. Die Koalition zwischen CDU/CSU und FDP zerbrach und wurde am 1. Dezember 1966 von einer Großen Koalition aus CDU/CSU und SPD abgelöst. Trotzdem stiegen die Arbeitslosenzahlen weiter.

Nach dem ständigen Wachstum der vergangenen 20 Jahre, nach »Fress«-, Kleidungs-, Wohnungs-, Auto- und Reisewelle schien es so, als würden die Bundesbürger zum ersten Mal Atem holen. Von der kritischen Intelligenz und vor allem von der jungen Generation wurden sie gefragt, ob dieses Leben, das sich vorwiegend an materiellen Werten orientierte, wirklich lebenswert sei. Überhaupt wurden die alten Werte und Verhaltensmuster zunehmend in Frage gestellt. Schließlich hatten die preußisch-deutschen Tugenden wie Gehorsam, Ordnungssinn, Pünktlichkeit und Fleiß nach Meinung der jungen Leute in den Nationalsozialismus geführt. Viele warfen nun ihren Eltern und Großeltern vor, immer nur gehorcht und keinen Widerstand gegen die Nationalsozialisten geleistet zu haben. In den Augen der Jugend, insbesondere der studentischen Jugend, hatte die ältere Generation so ziemlich alles falsch gemacht. Als dann die SPD mit ihrem neuen Hoffnungsträger Willy Brandt auch noch mit der CDU/CSU koalierte, wandten sich viele enttäuscht vom parlamentarischen System der Bundesrepublik ab und erklärten sich zur »Außerparlamentarischen Opposition«, kurz APO genannt. Zuerst kritisierten sie den »Bildungsnotstand« und die schlechten Studienbedingungen an den deutschen Universitäten. Dann weitete sich der Protest zu einer fundamentalen Kritik an der westdeutschen Nachkriegsgesellschaft mit ihrer »Amerikahörigkeit« und ihrem »Antikommunismus« aus. Ein »dritter Weg« zwischen Kapitalismus und Kommunismus, ein »demokratischer Sozialismus«, war das Ziel der »Neuen Linken«, die sich von ähnlichen Bewegungen in anderen westlichen Ländern bestätigt sah. Die Aufbruchstimmung machte selbst am eisernen Vorhang nicht halt. Im Frühjahr 1968 entstand in der Tschechoslowakei eine Reformbewegung, die auch die Kommunistische Partei erfasste. Alexander Dubcek wurde Parteichef und gab die neuen Ziele bekannt: Demokratisierung und Liberalisierung. Ein »Sozialismus mit menschlichem Antlitz« sollte entstehen. Viele Menschen in aller Welt setzten große Hoffnungen in diesen »Prager Frühling«.

Eine neue Zeit schien anzubrechen und die »Neue Linke« sah sich im historischen Prozess auf dem richtigen Weg. Der Abbau aller »autoritären Strukturen« und »Basisdemokratie in allen Lebensbereichen« wurden gefordert. Ebenso die volle Gleichberechtigung der Geschlechter und eine tolerantere Sexualmoral. Durch Demonstrationen versuchte die APO, »die Massen« zu erreichen und das Bewusstsein der Menschen zu verändern.

Bei so einer Demonstration in Berlin wurde der Student Benno Ohnesorg von einer Polizeikugel getötet. Manche sahen darin den Beweis für die Brutalität des Staates und riefen zum gewaltsamen Umsturz der bestehenden Verhältnisse auf. Aber die Mehrheit der »Neuen Linken« und die übergroße Mehrheit der Bevölkerung wollten keine gewaltsamen Veränderungen, sondern Reformen. Als am 22. Oktober 1969 die Große Koalition von einer »sozialliberalen« aus SPD und FDP abgelöst wurde, sahen sie darin eine große Chance.

Tatsächlich stellte der neue Bundeskanzler Willy Brandt seine Regierungserklärung unter das Motto: Mehr Demokratie wagen! »Wir wollen eine Gesellschaft, die mehr Freiheit bietet und mehr Mitverantwortung fordert. Wir brauchen Menschen, die kritisch mitdenken, mitentscheiden und mitverantworten. Wir stehen nicht am Ende unserer Demokratie, wir fangen erst richtig an.«

Bei diesem Vorhaben wurde die Regierung von zahlreichen »Linksintellektuellen« unterstützt. Mit Heinrich Böll und Günter Grass engagierten sich auch die bedeutendsten deutschen Nachkriegsschriftsteller für Willy Brandt und die SPD. Viele junge Leute machten sich auf den »langen Marsch durch die Institutionen«, um die Gesellschaft zu verändern. Andere wollten lieber außerhalb der etablierten Parteien mehr Demokratie wagen. Sie bildeten die ersten Bürgerinitiativen, aus denen die Anti-Atomkraft-, die Friedens- und die Frauenbewegung hervorgingen. Teile davon gründeten später die Partei der »Grünen«, um auch auf parlamentarischer Ebene mitreden und mitbestimmen zu können.

Nur einer kleinen Minderheit ehemaliger APO-Mitglieder dauerte die schrittweise Veränderung der Gesellschaft zu lange. Sie wollten eine Revolution und sie wollten sie sofort. Weil dieses Ziel mit friedlichen Mitteln nicht zu erreichen war, erklärten sie dem verhassten Staat den Krieg. Sie gingen in den Untergrund und es bildeten sich verschiedene terroristische Gruppen. Die bekannteste unter ihnen war die »Rote Armee Fraktion« (RAF), die sich 1998 auflöste. Eine Zeit lang gelang es den Terroristen, mit Sprengstoffanschlägen und der Entführung und Ermordung prominenter Männer aus Politik und Wirtschaft das Land in Schrecken zu versetzen; aber sie hatten nie eine ernsthafte Chance, an die Macht zu kommen. Die deutsche Bevölkerung wollte sich von Terroristen nicht »befreien« lassen, weil sie mit ihrem Leben und mit ihrem Staat im Großen und Ganzen zufrieden war.

Wandel durch Annäherung

Neben den »inneren Reformen« wollte die sozial-liberale Koalition die Beziehungen der Bundesrepublik zu den Staaten des Ostblocks, insbesondere zur DDR verbessern. »Zwanzig Jahre nach Gründung der Bundesrepublik Deutschland und der Deutschen Demokratischen Republik müssen wir ein weiteres Auseinanderleben der deutschen Nation verhindern, also versuchen, über ein geregeltes Nebeneinander zu einem Miteinander zu kommen«, sagte Willy Brandt im Bundestag. Dieser Absicht folgte die »neue Ostpolitik«, über die von den Parteien heftig und auf hohem Niveau gestritten wurde. Die Debatten über die

»Ostverträge« gelten als Sternstunden der deutschen Parlamentsgeschichte. In ihnen ging es wieder einmal um die Frage, was Deutschland eigentlich sei und sein solle.

Durfte die Regierung die Oder-Neiße-Linie als polnische Westgrenze anerkennen und damit auf die ehemals deutschen Gebiete im Osten verzichten? Durfte sie von der Existenz zweier deutscher Staaten ausgehen und damit die deutsche Einheit preisgeben? Musste das Ziel deutscher Politik die Wiederherstellung Deutschlands in den Grenzen von 1937 sein? Oder musste die Nationalstaatlichkeit auf dem Weg in ein vereintes Europa nicht vielmehr überwunden werden?

Ohne diese großen Fragen aus den Augen zu verlieren, schloss die Regierung 1970 mit der Sowjetunion und mit Polen und1972 mit der DDR Verträge, in denen das zukünftige Neben- und Miteinander geregelt wurde. Die CDU/CSU lehnte diese Verträge entschieden ab und warf der Regierung den Ausverkauf deutscher Gebiete und deutscher Interessen vor. Sogar als »Verzichtspolitiker« wurden Sozialdemokraten und Liberale beschimpft – wie einst in der Weimarer Republik.

»Wir haben auf nichts verzichtet, was nicht längst verloren war«, hielt Willy Brandt dem entgegen. Er war zutiefst davon überzeugt, dass niemand das Recht hatte, die bestehenden Grenzen in Europa gewaltsam zu verändern. Und er war ebenso überzeugt, dass die kommunistischen Regime nicht von außen gestürzt werden konnten. Allenfalls konnten sie durch mehr Kontakte zwischen den Regierungen und den Menschen langsam verändert werden. »Wandel durch Annäherung« lautete die Formel für diese »Politik der kleinen Schritte«.

Als Folge dieser Politik nahm der Reiseverkehr von West nach Ost kontinuierlich zu. Und auch die Zahl der Reisen von Ost nach West in »dringenden Familienangelegenheiten« erhöhte sich. Durch diese wechselseitigen Kontakte sahen viele Menschen in der DDR immer deutlicher, dass die SED-Propaganda nicht der Wirklichkeit entsprach. Weder war hinter dem »antifaschistischen Schutzwall« die kapitalistische Hölle noch war die DDR ein sozialistisches Paradies – allenfalls für die führende Klasse aus hohen Funktionären. Für sie gab es große Wohnungen, luxuriöse Ferienhäuser und Konsumgüter, von denen die Normalbürger nur träumen konnten. Doch immer mehr Menschen wollten nicht ihr ganzes Leben lang nur von den ver-

Bundeskanzler Willy Brandt vor dem Mahnmal im ehemaligen Warschauer Getto. Sein Kniefall wurde zum Symbol für ein Deutschland, das sich zu seiner historischen Schuld bekennt und die Aussöhnung mit allen seinen Nachbarn sucht.

sprochenen Segnungen des Sozialismus träumen. Sie wollten mehr. Noch aber gelang es den staatlichen Kräften, Oppositionelle zum Schweigen zu bringen.

Wer zu spät kommt, den bestraft das Leben

Der »Wandel durch Annäherung« wurde Ende der siebziger Jahre unterbrochen, weil sich die »Großwetterlage« wieder einmal verschlechterte. Und als die Sowjetunion Ende 1979 ihre Truppen im blockfreien Afghanistan einmarschieren ließ, war das Ende der Entspannung erreicht. Die östliche Supermacht versuchte mit gewaltigem Einsatz, ihre Macht auf ein Gebiet außerhalb ihres Blockes auszudehnen. Das wollte die westliche Supermacht nicht hinnehmen und drohte mit Konsequenzen. Eine neue Phase des Rüstungswettlaufs begann. Der seit 1981 regierende amerikanische Präsident Ronald Reagan nannte die Sowjetunion das »Reich des Bösen« und wollte sie »totrüsten«. Die Sowjetunion machte diesen neuen Rüstungswettlauf ein paar Jahre lang mit und geriet dabei in große wirtschaftliche Schwierigkeiten. Doch erst als ein Generationswechsel in der Kommunistischen Partei 1985 den jungen Michail Gorbatschow an die Macht brachte, wurde dieser Rüstungswahnsinn beendet.

Gorbatschow wollte die hohen Rüstungskosten senken, um mehr Mittel für Reformen einsetzen zu können. Denn dass die Sowjetunion reformiert und erneuert werden musste, stand für ihn außer Frage. »Perestroika« (Umgestaltung) und »Glasnost« (Offenheit) hießen die Schlagworte, die bald in aller Munde waren. Aber Gorbatschows Reformen gingen seinen Kritikern nicht weit genug. Sie warfen ihm vor, die Umwandlung der Plan- in die Marktwirtschaft zu verhindern und sich weiterhin auf die alten Kader in Staat, Partei und Militär zu stützen.

In der Tat befand sich Gorbatschow in einem Dilemma: Er wollte die Sowjetunion durch eine »Revolution von oben« modernisieren und zu einer wettbewerbsorientierten Leistungsgesellschaft machen, ohne jedoch den Führungsanspruch der Kommunistischen Partei und die staatliche Kontrolle der Wirtschaft aufzugeben. Aber die Reformgeister, die er gerufen hatte, wurde er nicht mehr los. Schneller, als das irgendjemand für möglich gehalten hätte, fiel das Machtmonopol der Kommunisten. In der Folge erlaubte die Sowjetunion auch den »sozialistischen Bruderländern«, ihre eigenen Wege zu gehen, ohne sich vor militärischen Interventionen fürchten zu müssen.

In diesem veränderten Klima riefen auch die bislang unterdrückten Oppositionsgruppen in den anderen Staaten Osteuropas immer lauter nach Reformen. Innerhalb kürzester Zeit brachen erst in Polen und Ungarn, später auch in der Tschechoslowakei die alten Regime zusammen.

Die DDR-Führung mit Erich Honecker an der Spitze aber wehrte sich gegen Reformen. Für sie waren »Perestroika« und »Glasnost« Zeichen der Schwäche. Honecker und seine Genossen erkannten die Zeichen der Zeit nicht. »Den Sozialismus in seinem Lauf hält weder Ochs noch Esel auf!«, rief der bornierte Staats- und Parteichef noch in die Welt hinaus, als die sozialistischen Bruderländer längst auf dem Weg zur Demokratisierung von Staat und Gesellschaft waren. Während die SED 1989 pompöse Feiern zum

40. Geburtstag des »Ersten Arbeiter- und Bauernstaates auf deutschem Boden« vorbereitete, ließen die Tschechoslowakei und Ungarn es zu, dass zehntausende DDR-Bürger über ihre Grenzen in den Westen flohen. Andere blieben und demonstrierten friedlich für politische und wirtschaftliche Reformen.

Die Demonstranten in der DDR wurden zunächst noch niedergeknüppelt und verhaftet. Doch mit ihrer starren Haltung förderte die Staats- und Parteiführung nur das Anwachsen der Protestbewegung. Selbst Gorbatschows mahnende Worte »Wer zu spät kommt, den bestraft das Leben« stießen bei Honecker auf taube Ohren. Als dann im Herbst 1989 mächtige Demonstrationszüge durch Leipzig, Dresden, Ostberlin und andere Städte zogen, wurde im SED-Politbüro ernsthaft darüber diskutiert, ob man wie 1953 Panzer gegen das eigene Volk rollen lassen sollte. Warum das letztlich nicht geschah, ist bis heute noch ungeklärt. Ein wichtiger Grund dürfte gewesen sein, dass der sowjetische Botschafter in der DDR keinerlei Rückendeckung oder gar Unterstützung des »Großen Bruders« zusagte. Damit war das SED-Regime praktisch am Ende.

Aber Honecker lehnte alle Reformvorschläge weiterhin kategorisch ab. Da wurde im Politbüro zum ersten Mal Kritik an seinem Führungsstil laut. Um an der Macht zu bleiben, setzten die führenden Genossen ihren Generalsekretär am 18. Oktober ab und wählten Egon Krenz zu seinem Nachfolger. Der kündigte Reformen an, versprach Reiseerleichterungen und forderte die Bürgerinnen und Bürger zur »Ausgestaltung der sozialistischen Gesellschaft« auf. Doch die Bürgerinnen und Bürger trauten den SED-Funktionären nicht. Sie demonstrierten weiter und in immer größerer Zahl für Freiheit und Demokratie. In einer Mischung aus Zorn und wachsendem Selbstbewusstsein erschallte der Ruf »Wir sind das Volk!« immer lauter. Und die neue DDR-Führung gab dem Volkswillen erstmals nach. Am Abend des 9. November 1989 öffnete sie die Grenzübergänge und noch in der Nacht besuchten zehntausende DDR-Bürger West-Berlin. Deutsche aus Ost und West feierten ein Fest, wie in Deutschland noch keines gefeiert worden war.

Wir sind ein Volk!

Zum ersten Mal in der deutschen Geschichte war eine Revolution erfolgreich – und das auch noch ohne Gewalt! Dass es den Menschen im Osten Deutschlands gelang, das

Michail Gorbatschow und Erich Honecker bei der 40-Jahr-Feier der DDR im Oktober 1989. Fast sieht es aus, als wollte Gorbatschow dem Staats- und Parteichef der DDR zeigen, dass es für ihn fünf vor zwölf ist.

SED-Regime mit friedlichen Mitteln in die Knie zu zwingen, ist eine große historische Leistung. Die Frage war nun, was aus der DDR werden sollte. Darüber verhandelten Vertreter der Oppositionsgruppen, der Volkskammerparteien und der Regierung am so genannten »runden Tisch«. Drei Konzepte standen zur Wahl:

1. Eine eigenständige DDR nach dem Muster eines »dritten Weges« zwischen Kapitalismus und Staatssozialismus.
2. Eine Konföderation der beiden deutschen Staaten.
3. Ein rascher Beitritt zur Bundesrepublik Deutschland.

Während am »runden Tisch« noch diskutiert wurde, machten die weiterhin stattfindenden Demonstrationen deutlich, wohin der Weg gehen sollte. Aus der Parole »Wir

Die demonstrierenden Bürgerinnen und Bürger der DDR machten deutlich, wohin der Weg gehen sollte: in Richtung Wiedervereinigung.

sind das Volk!« wurde »Wir sind ein Volk!«. Die Mehrheit der DDR-Bürger wollte keine wie auch immer reformierte DDR, sondern die Vereinigung mit der Bundesrepublik.

Die ersten freien Volkskammerwahlen in der DDR am 18. März 1990 bestätigten diesen Wunsch. Und nach vielen Verhandlungen – auch mit den Siegermächten des Zweiten Weltkriegs – trat die DDR am 3. Oktober 1990 der Bundesrepublik bei. An diesem Tag endete die Teilung Deutschlands und ein neues Kapitel der deutschen Geschichte begann.

»Jetzt wächst zusammen, was zusammengehört«, hatte Willy Brandt nach dem Fall der Mauer gesagt und damit vielen Menschen »hüben und drüben« aus dem Herzen gesprochen.

Die Deutschen in Ost und West hatten die Wiedervereinigung wie im Rausch erlebt. Diesem Rausch folgte ein gewaltiger Kater. Bundeskanzler Helmut Kohl hatte den Eindruck vermittelt, der Einigungsprozess werde keine

Ein Politiker, der wie wenig andere in den Ereignissen des Jahres 1989 die Chance zur Wiedervereinigung erkannte, war der Kanzler der Bundesrepublik Deutschland Helmut Kohl. Die Geschichtsbücher werden ihn vielleicht einmal den »Vereinigungskanzler« nennen.

besonderen Kosten verursachen, im Gegenteil, die deutsche Wirtschaft werde schon bald einen kräftigen Aufschwung erleben, von dem West und Ost gleichermaßen profitieren würden. Im Bundestagswahlkampf 1990 versprach er »blühende Landschaften« und weckte damit große Erwartungen bei den »Brüdern und Schwestern im Osten«. Die erfüllten sich nicht oder nur teilweise und in jedem Fall viel langsamer als gedacht; vor allem aber mussten sie teuer bezahlt werden.

Die Umgestaltung der zentral gelenkten Planwirtschaft in eine Marktwirtschaft verlief nicht so reibungslos wie erhofft. Bis April 1991 fiel die ostdeutsche Industrieproduktion auf 30 % des Niveaus von 1989 zurück, weil die veralteten Fabriken nicht konkurrenzfähig waren und der ehemalige Ostblock als Abnehmer ausgefallen war. Die Arbeitslosigkeit stieg dramatisch – sie ist bis heute prozentual mehr als doppelt so hoch wie in den alten Bundesländern.

Gemildert wurden die dadurch entstandenen Probleme und Härten mit finanziellen Hilfen aus dem Westen. Über eine Billion Euro flossen für den »Aufbau Ost« bisher in die neuen Bundesländer, eine ungeheuer große Summe. Sie verbesserte das Leben der Menschen spürbar, reichte jedoch längst nicht aus, um Ostdeutschland in eine »blühende Landschaft« zu verwandeln.

Problematisch war und ist, dass sich der Staat immer höher verschulden musste und immer noch muss, um den »Aufbau Ost« zu finanzieren.

Weil Mitte der 90er Jahre außerdem die Weltwirtschaft ins Stocken geriet, stieg die Arbeitslosigkeit in Deutschland auf über vier Millionen und die Steuereinnahmen des Staates sanken; noch mehr Schulden waren die Folge. Im

Jahre 2003 beträgt der Schuldenstand von Bund, Ländern und Gemeinden rund 1,5 Billionen Euro, was eine enorme Belastung für die kommenden Generationen bedeutet.

Waren die Westdeutschen anfangs bereit, für den »Aufbau Ost« zu bezahlen, so murrten sie bald über den seit 1991 zu entrichtenden »Solidaritätszuschlag« und höhere Steuern. Die neuen Bundesländer erschienen vielen wie ein Fass ohne Boden. In Ostdeutschland wiederum litten die Menschen darunter, »am Tropf der Wessis« zu hängen. Die finanzielle Unterstützung konnte auch nicht verhindern, dass viele »Ossis« mit der früher unbekannten Arbeitslosigkeit, mit dem Verlust der sozialen Sicherheit und mit den neuen Freiheiten nicht zurechtkamen.

Wie oft in solchen Situationen machten sich nun Unzufriedene – unbelehrt von der deutschen Geschichte – auf die Suche nach Sündenböcken. Man fand sie vor allem in

Was mag der Asylbewerber hinter der eingeworfenen Fensterscheibe wohl denken?

ausländischen Arbeitnehmern. Im Herbst 1991 häuften sich in Deutschland Gewalttaten gegen Ausländer und Asylbewerber. Im sächsischen Hoyerswerda und in Rostock versuchten rechtsradikale Jugendliche, ein Asylantenwohnheim in Brand zu stecken. Besonders schändlich war, dass die Polizei sich zurückzog, während Hunderte von Schaulustigen zusahen, Beifall klatschten und »Deutschland den Deutschen! Ausländer raus!« skandierten. Wer allerdings glaubte, solche Aktionen blieben auf den Osten beschränkt, sah sich getäuscht. Zu traurigen Höhepunkten wurden Brandanschläge im November 1992 in Mölln und im Mai 1993 in Solingen, bei denen zehn türkische Menschen, darunter fünf Kinder, starben – beschämende Taten im wiedervereinigten Deutschland. Doch es gingen auch Millionen Menschen auf die Straße, demonstrierten Solidarität mit den ausländischen Mitbürgern und zeigten der Welt »das andere Deutschland«.

Auf dem Weg ins »Euroland«

Auch nach der Wiedervereinigung änderte sich nichts an den außenpolitischen Grundsätzen der Bundesrepublik. Im Vordergrund standen der europäische Einigungsprozess (mit besonderem Gewicht auf der deutsch-französischen Partnerschaft), die Beziehungen zu den USA und die von Willy Brandt begonnene Ostpolitik.

Helmut Kohl, der sich als »Enkel Adenauers« verstand, forcierte die »Europäisierung«. Er wollte den Nachbarn und der Welt damit auch signalisieren, dass sie vor dem wiedervereinigten Deutschland keine Angst zu haben brauchten. Ein »Viertes Reich«, das zuweilen als Gespenst durch die Medien in verschiedenen Ländern geisterte, würde es nicht geben.

Im Dezember 1991 beschlossen zwölf Staats- und Regierungschefs im niederländischen Maastricht, die Europäische Gemeinschaft zur Europäischen Union weiterzuentwickeln. Die vor allem wirtschaftlich orientierte Gemeinschaft sollte sich schrittweise zu einer politischen Union entwickeln, der europäische Binnenmarkt sollte zu einer Wirtschafts- und Währungsunion mit einer Europäischen Zentralbank und einer gemeinsamen Währung ausgebaut werden. Dann wollte man eine gemeinsame Außen- und Sicherheitspolitik einleiten, mit dem Ziel, irgendwann eine europäische Armee zu bilden. Auch in der Innen- und Rechtspolitik sollten Regelungen für eine engere Verzahnung geschaffen werden. Weil dies alles einen Verzicht auf Souveränitätsrechte und Selbstständigkeit bedeutete, gab es darüber in allen Ländern intensive Diskussionen. Die Dänen lehnten den so genannten Vertrag von Maastricht in einer Volksabstimmung mit knapper Mehrheit gar ab, womit er praktisch schon gescheitert war. Erst nach weiteren mühseligen Verhandlungen und Zugeständnissen stimmten in einem zweiten Referendum 56,8 % der Dänen doch noch zu und der Vertrag konnte am 1. November 1993 in Kraft treten.

Im Grundsatz sind sich die Staaten also weitgehend einig: Am Ende des Prozesses sollen die Vereinigten Staaten von Europa stehen. Auf welchen Wegen und vor allem in welcher Zeit dieses Ziel angestrebt werden soll, darüber gibt es allerdings unterschiedliche Vorstellungen.

Und noch scheuen sich die nationalen Regierungen und Parlamente, dem Europäischen Parlament und der Kommission, die eine Art europäische Regierung darstellt, weitreichende Kompetenzen zu geben; noch wollen sie, wenn auch abgestimmt mit den Partnern, selbst die Richtlinien ihrer Politik bestimmen.

Am 1. Januar 1995 traten mit Finnland, Österreich und Schweden drei weitere Staaten der EU bei. Von den nunmehr 15 EU-Staaten führten elf am 1. Januar 1999 die neue Währung, den Euro, ein – zunächst allerdings nur als Rechnungseinheit; in den Händen halten konnte man das neue Geld erst drei Jahre später. Obwohl die Umstellung am 1. Januar 2002 problemlos klappte, trauerten viele Menschen in Europa ihren bisherigen Münzen und Scheinen nach. Besonders verständlich ist das bei den Ostdeutschen, mussten sie sich doch zum zweiten Mal innerhalb von zwölf Jahren umstellen und an neues Geld gewöhnen; die Westdeutschen vermissten ihre stabile D-Mark und klagten bald lautstark über den »Teuro«.

Am 1. Mai 2004 nahm die EU mit Polen, Tschechien, Ungarn, Slowakei, Slowenien, Litauen, Lettland, Estland, Malta und dem griechischen Teil Zyperns zehn neue Mitglieder auf. 15 Jahre nach dem Fall der Mauer und des Eisernen Vorhangs beendete diese so genannte »Osterweiterung« die Spaltung Europas endgültig, die seit 1945 bestanden hatte. Am 1. Januar 2007 kamen mit Bulgarien und Rumänien zwei weitere Länder des europäischen Ostens hinzu.

Damit umfasst die Europäische Union einen Wirtschaftsraum mit etwa 490 Millionen Menschen und verfügt über eine weit größere Bevölkerung als die USA mit 280

Millionen. Und schon stehen mit Kroatien, der Türkei und Mazedonien weitere Beitrittskandidaten bereit. Welche Länder wann aufgenommen werden, hängt von den jeweiligen wirtschaftlichen und politischen Zuständen ab. Ziel der EU ist es, Demokratie und Marktwirtschaft nach Osten und Südosten auszudehnen, nicht zuletzt, um die politische Stabilität in diesen Regionen zu fördern.

Anfangs waren die Euro-Münzen und -Scheine ungewohnt. Viele Deutsche rechneten heimlich noch einige Zeit mit D-Mark.

Um der Union eine gemeinsame Grundlage zu geben und einen großen Schritt in Richtung »Vereinigte Staaten von Europa« zu machen, wurde von Fachleuten seit dem Jahr 2003 eine europäische Verfassung ausgearbeitet. Sie enthielt Grundrechte und legte die Kompetenzen für das Parlament und die Kommission fest. Nach langen Diskussionen wurde der Entwurf von den Staats- und Regierungschefs verabschiedet und den Mitgliedsländern zur Abstimmung vorgelegt. Zum Entsetzen der Befürworter lehnten Franzosen und Niederländer die Verfassung im Mai und Juni 2005 in Volksabstimmungen ab. Ausschlaggebend dafür waren weniger die Inhalte, sondern eher eine allgemeine Unzufriedenheit mit der Entwicklung der EU.

Das »Non« der Franzosen und das »Nee« der Niederländer drückte aus, was auch vielen Menschen in anderen Mitgliedsstaaten Unbehagen bereitet: Die Angst vor einer übermächtigen europäischen Bürokratie und vor einem Europa, in dem nationale Eigenheiten und Identitäten bedroht sind.

Unter juristischen Gesichtspunkten war das Verfassungsprojekt mit der Ablehnung durch zwei EU-Mitglieder eigentlich gescheitert. Um aus dem »eigentlich« nicht ein »endgültig« werden zu lassen, trafen sich die Staats- und Regierungschefs am 17. Juni 2005 in Brüssel. Sie vereinbarten, an dem Ziel der gemeinsamen Verfassung festzuhalten, zunächst aber eine »Denkpause« einzulegen. In dieser Zeit sollten Fachleute nach Möglichkeiten suchen, wie die Krise überwunden werden könnte. Sie schlugen vor, die strittigsten Punkte aus dem Verfassungsentwurf zu streichen und auf den Begriff »Verfassung« zu verzichten. Stattdessen sollte ein Grundlagenvertrag formuliert werden, was dann auch geschah. Darin wurden die Grundrechte nicht mehr aufgenommen. Die nationalen Parlamente wurden gegenüber den EU-Institutionen gestärkt und auf das vorgesehene Amt eines EU-Außenministers wurde verzichtet.

Dieser Vertrag wurde am 13. Dezember 2007 von den 27 Staats- und Regierungschefs in Lissabon unterzeichnet und wird seither »Vertrag von Lissabon« genannt. Bis Ende 2008 sollte er von allen Mitgliedsstaaten ratifiziert werden und am 1. Januar 2009 in Kraft treten. Doch die Iren haben den Vertrag im Juni 2008 in einer Volksabstimmung abgelehnt und damit den Prozess erneut ins Stocken gebracht. Wie es nun weitergeht, ist zum jetzigen Zeitpunkt noch offen. Das »No« der Iren zeigt jedenfalls, dass sich die Politiker weiter kräftig anstrengen müssen, damit das europäische Haus endlich ein tragfähiges Verfassungsfundament bekommt.

Nie wieder Krieg?

Nachdem die Siegermächte des Zweiten Weltkriegs alle Rechte und Vorbehalte aufgegeben hatten, war das wiedervereinigte Deutschland nun ein souveräner Staat. Das hatte weitreichende Konsequenzen. Während des »Kalten Krieges« hatten sich beide Deutschland aus internationalen Konflikten weitgehend heraushalten und sich hinter ihrer jeweiligen Supermacht »verstecken« können. Nun wuchs dem größten Land im Zentrum Europas mehr Verantwortung zu. Die wurde in Anbetracht der deutschen Geschichte, aber auch aus Unsicherheit und aus Rücksicht auf die europäischen Partner zunächst sehr zurückhaltend wahrgenommen. Diese Zurückhaltung gefiel manchen Bündnispartnern allerdings nicht; vor allem die USA forderten eine aktivere Unterstützung der westlichen Positionen.

Zur ersten Nagelprobe kam es im Golfkrieg 1991. Die USA verlangten neben materieller Unterstützung auch den Einsatz deutscher Truppen am Golf. Mit Hinweis auf das Grundgesetz lehnte der Bundestag die Entsendung deutscher Soldaten ab, übernahm dafür später mit 9 Milliarden Euro einen großen Teil der Kosten – was Deutschland den Vorwurf der »Scheckbuch-Diplomatie« einbrachte.

Auf Dauer konnte das nicht der außen- und sicherheitspolitische Kurs der Bundesrepublik sein, das war den meisten deutschen Politikern klar. Aber wie sollte der neue Kurs aussehen?

Der Krieg im ehemaligen Jugoslawien verlangte eine erste Antwort. Die Bundesregierung gab sie im Februar 1993, indem sie beschloss, dass sich deutsche Soldaten an der Überwachung des UN-Flugverbots über Bosnien-Herzegowina beteiligen sollten. SPD und FDP wollten den Einsatz durch das Bundesverfassungsgericht verbieten lassen. Doch das höchste deutsche Gericht lehnte deren Anträge ab, weil sonst ein »Vertrauensverlust bei den Bündnispartnern und allen europäischen Nachbarn unvermeidlich wäre«.

Damit kamen zum ersten Mal seit 1945 wieder deutsche Soldaten in einem Krieg zum Einsatz, wenn auch nur zur Überwachung eines Flugverbots.

Am 12. Juli 1994 entschied das Bundesverfassungsgericht, dass humanitäre und militärische Einsätze der Bundeswehr auch außerhalb des NATO-Gebietes mit dem Grundgesetz vereinbar seien. Nun konnten die Politiker also nicht mehr verfassungsrechtlich argumentieren, nun mussten sie politisch entscheiden, unter welchen Bedingungen sie bereit waren, deutsche Soldaten in Krisen- und Kriegsgebiete zu schicken.

Es kam zu Einsätzen bei der UN-Blauhelmtruppe, die in Krisengebieten mithelfen soll, den Frieden zu sichern. Zwischen 1995 und 1998 beschloss der Bundestag mehrfach und mit immer größeren Mehrheiten, der internationalen Friedenstruppe in Bosnien-Herzegowina bis zu 4 000 deutsche Soldaten zur Verfügung zu stellen.

Am 27. September 1998 wurde die christlich-liberale

Regierung unter Helmut Kohl nach 16 Jahren abgewählt.
Die neue rot-grüne Regierung mit Bundeskanzler Gerhard
Schröder und Außenminister Joschka Fischer an der Spitze stand sofort vor der schwierigen Aufgabe, über den ersten Kampfeinsatz deutscher Soldaten seit 1945 entscheiden
zu müssen:

Nachdem das ehemalige Jugoslawien auseinandergefal-
len war, kam die Region nicht zur Ruhe. Besonders kritisch war die Lage im Kosovo. In der ehemals autonomen
Provinz lebten seit langem 200 000 Serben und zwei Millionen Albaner unter serbischer Herrschaft. Die Albaner
wollten das nicht länger dulden und verlangten größere
Autonomie von der serbischen Zentralregierung unter Ministerpräsident Milosevic. Dessen Politik hatte zum Ziel,
den Kosovo »albanerfrei« zu machen. Bis 1998 flohen
Hunderttausende Albaner vor den Gewalttaten serbischer
Militäreinheiten aus ihrer Heimat. Doch damit war Milo-

Deutsche KFOR-Soldaten marschieren durch das zerbombte Prizren im Kosovo.

sevic noch nicht zufrieden; er schickte Erschießungs-kommandos durch den Kosovo, die schreckliche Massaker verübten. Um den drohenden Völkermord zu verhindern, forderte der UN-Sicherheitsrat Milosevic mehrfach auf, das Blutvergießen zu beenden. Als sämtliche diplomatischen Versuche ohne Erfolg blieben, drohte die NATO mit Luftangriffen.

Es ist eine besondere Ironie der Geschichte, dass ausgerechnet die rot-grüne Koalition über einen von Deutschland mit zu führenden Krieg entscheiden musste. Denn viele ihrer Mitglieder, vor allem der Grünen, stammten aus der Friedensbewegung oder standen der Friedensbewegung nahe. Wer etwa dem 68er und führenden Grünen Joschka Fischer in seinen wilden Jahren prophezeit hätte, er würde einmal mit Engelszungen von der Notwendigkeit eines Militäreinsatzes reden, wäre wohl für verrückt erklärt worden. Nicht selten war in den Zeiten der Kosovo-Entscheidung zu hören, nun seien auch die Grünen endgültig in der politisch-parlamentarischen Wirklichkeit angekommen. Innerhalb der Grünen ist die Frage der richtigen Friedenspolitik bis heute umstritten.

Von März bis Juni 1999 bombardierten NATO-Flugzeuge, darunter deutsche Tornados, serbische Einrichtungen im Kosovo. Anschließend überwachte eine internationale Truppe, die Kosovo Force (KFOR), die Einhaltung der getroffenen Vereinbarungen. Mit dabei waren bis zu 8 500 Bundeswehrsoldaten.

Innerhalb von zehn Jahren war die Bundesrepublik Deutschland von einem »Sonderfall« zu einem Partner unter Partnern geworden und damit endgültig ein »normaler« Staat.

Schon zwei Jahre später begann der nächste Ernstfall, als arabische Selbstmordattentäter am 11. September 2001 mit entführten Flugzeugen ins New Yorker World Trade Center flogen und dabei über 3 000 Menschen in den Tod rissen. Der amerikanische Präsident George W. Bush betrachtete das als Kriegserklärung und kündigte einen »Feldzug gegen den internationalen Terrorismus« an. Ohne zu zögern, sicherte Bundeskanzler Schröder den USA »uneingeschränkte Solidarität« zu. Erstes Ziel dieses »Feldzuges« gegen den Terrorismus war das Taliban-Regime in Afghanistan, das Terroristen Unterschlupf und Hilfe gewährte. Beim Krieg gegen die Taliban wurden die USA von vielen Ländern unterstützt, auch von Deutschland. Berühmt wurde in diesem Zusammenhang die Aussage von Verteidigungsminister Struck:

»Die Sicherheit Deutschlands wird auch am Hindukusch verteidigt.«

Doch als Präsident Bush den irakischen Diktator Saddam Hussein und sein Regime als nächstes Kriegsziel nannte, bröckelte die gemeinsame Front. Bundeskanzler Schröder und Außenminister Fischer stellten sich zusammen mit dem französischen Staatspräsidenten Jacques Chirac an die Spitze derer, die den Irak mit friedlichen Mitteln entwaffnen und einen Krieg verhindern wollten.

Nach monatelangem diplomatischem Tauziehen setzten die USA ihre Politik der Stärke gegen alle Bedenken durch. Am 21. März 2003 gab Präsident Bush trotz weltweiter Proteste den Befehl zum Angriff; der Irak-Krieg begann. Gegen die gewaltige amerikanische Militärmaschine stand der Irak auf verlorenem Posten und schon am 1. Mai konnte Bush das »Ende der Hauptkampfhandlungen« verkünden.

Teile der irakischen Bevölkerung begrüßten die Soldaten als Befreier, andere sahen in ihnen Besetzer, gegen die sie aus dem Untergrund kämpften. Dieser Kampf dauert bis heute an und hat inzwischen mehr amerikanische Soldaten das Leben gekostet als die »Hauptkampfhandlungen«. Die Regierungen der Vereinigten Staaten und Großbritanniens mussten erkennen, dass es einfacher war, den Krieg zu gewinnen, als dem Land einen geordneten Frieden zu bringen.

Ein Jahr nach Kriegsbeginn bat der amerikanische Präsident die UN um Hilfe. Am 8. Juni 2004 beschloss der UN-Sicherheitsrat, dass noch im selben Monat die Besatzungszeit enden und der Irak seine Souveränität zurückerhalten solle. Der erste Schritt dazu war die Einsetzung einer irakischen Übergangsregierung, die die Geschäfte führen und demokratische Wahlen vorbereiten sollte. Trotz Boykottaufrufen und Bombendrohungen fand die Wahl zur Nationalversammlung am 30. Januar 2005 statt. Zur großen Überraschung der Beobachter wagten knapp 60 % der Iraker – darunter erstaunlich viele Frauen – den Gang in die Wahllokale und demonstrierten damit neben ihrem Mut auch ihren Willen, den Irak zu einer Demokratie zu machen.

Doch zur Ruhe kam das Land noch lange nicht. Verschiedene Gruppen, die mit der Entwicklung nicht einverstanden waren, verübten in den folgenden Jahren immer wieder Bombenanschläge, bei denen etwa 35.000 Menschen getötet wurden. Das konnten auch die amerikanischen Soldaten nicht verhindern, die bis heute im Land stehen, »um den Aufbau eines demokratischen Irak zu sichern« – so die offizielle Sprachregelung der Regierung Bush. Wie lange es dauern wird, im Irak stabile politische Verhältnisse und ein geordnetes Wirtschaftsleben zu schaffen, ist ungewiss. Darüber soll hier nicht spekuliert werden.

Neben den »offiziellen Kriegen« zwischen Staaten gibt es in den letzten Jahren vermehrt die so genannten »privaten Kriege«. Terroristen kämpfen gegen Staaten und fügen ihnen mehr oder weniger große Schäden zu. Verkehrswege, Informationsnetze und wichtige Versorgungseinrichtungen können schon mit geringen Sprengstoffmengen lahmgelegt werden. Kaum ein Monat vergeht, in dem die Medien nicht von einem Anschlag berichten. Viele davon werden der Al-Qaida zugeschrieben. Sie wurde vermutlich um 1988 von dem aus Saudi-Arabien stammenden Osama bin Laden gegründet und besteht heute aus mehreren islamischen Terrorgruppen, die in verschiedenen Ländern Ausbildungslager und Verstecke haben und netzwerkartig miteinander verbunden sind. Ihr Kampf richtet sich gegen den westlichen Einfluss auf die muslimische Welt, ja, gegen die gesamte westliche Lebensweise.

Seit deutsche Soldaten in Afghanistan stehen, ist auch Deutschland ins Fadenkreuz der Terroristen geraten; schon mehrfach haben sie Anschläge angekündigt. Doch bislang ist Deutschland glimpflich davongekommen.

Reformen, Reformen, Reformen!

Jahrzehntelang stand Deutschland in dem Ruf, wirtschaftlich ein Riese und politisch ein Zwerg zu sein. Spätestens mit der Wiedervereinigung und der damit verbundenen vollen Souveränität wuchs der politische Zwerg auf normale Größe an. Gleichzeitig schrumpfte der wirtschaft-

liche Riese. Das lag nicht nur an den hohen Kosten für den
»Aufbau Ost«, sondern auch an Versäumnissen in der
Wirtschafts- und Sozialpolitik. Deutschland wurde vom
Musterknaben zum Sorgenkind der Europäischen Ge-
meinschaft.

Der »Spiegel« brachte im September 2002 einen Artikel
unter der Überschrift »Die blockierte Republik«. Darin
wurde kritisiert, dass es den Parteien mehr um bessere
Umfragewerte als um eine bessere Politik für das Land
gehe. Die rot-grüne Mehrheit im Bundestag und die
schwarz-gelbe Mehrheit im Bundesrat würden sich aus
parteitaktischen Gründen gegenseitig blockieren und
damit notwendige Reformen verhindern. Das Wort vom
»Reformstau« machte die Runde.

In diesem Umfeld fand am 22. September 2002 die Bundestagswahl statt, bei der die rot-grüne Koalition knapp
bestätigt wurde. Den führenden Politikern war klar, dass
bei 4,2 Millionen Arbeitslosen, maroden Sozialkassen und
einer immer höher steigenden Staatsverschuldung ein
»Weiter so« nicht mehr in Frage kam. Da entschloss sich
die Regierung Schröder/Fischer zu einem weitreichenden
Reformprogramm, »Agenda 2010« genannt. Am 14. März
2003 verkündete Bundeskanzler Schröder in einer Regierungserklärung die Grundlinien des Programms: Um den
Sozialstaat zu erhalten, müssten die Bedingungen für
Wachstum und Beschäftigung verbessert werden. Deshalb
komme man nicht daran vorbei, die Betriebe zu entlasten,
die Leistungen des Staates und der Sozialkassen zu kürzen
und mehr Eigenleistung von den Bürgern zu fordern.

Die Agenda 2010 führte zu heftigen Protesten bei den
Gewerkschaften und in der SPD. Mehr als 100 000 Mit-

glieder verließen die Partei, weil die in ihren Augen unsoziale Politik »den kleinen Mann« über Gebühr belaste und mit sozialdemokratischen Grundsätzen nicht vereinbar sei. Viele von ihnen schlossen sich im Verlauf des Jahres 2004 in einer neuen politischen Gruppierung zusammen, der »Wahlalternative Arbeit & soziale Gerechtigkeit« (WASG).

Obwohl die rot-grüne Regierung für das mutige Reformprogramm auch gelobt wurde, verschlechterte sich die Stimmung in der Bevölkerung, was sich in Meinungsumfragen und bei Landtagswahlen niederschlug, wo die SPD deutliche Verluste hinnehmen musste. Und als am 23. Mai 2004 von der Bundesversammlung ein neuer Bundespräsident als Nachfolger des Sozialdemokraten Johannes Rau gewählt wurde, unterlag die Kandidatin von Rot-Grün, Gesine Schwan. Der von CDU/CSU und FDP nominierte Horst Köhler erhielt bereits im ersten Wahlgang die absolute Mehrheit der Stimmen. Ein Machtwechsel deutete sich an.

Eingeleitet wurde er ein Jahr später in Nordrhein-Westfalen, dem bevölkerungsreichsten Bundesland, wo die letzte rot-grüne Landesregierung abgewählt wurde. Noch am Wahlabend zog Bundeskanzler Schröder aus der verheerenden Niederlage die Konsequenzen und verkündete der Öffentlichkeit, er strebe vorgezogene Bundestagswahlen an. Die Deutschen müssten sich entscheiden, ob sie den von seiner Regierung eingeleiteten Reformprozess wollten oder ob ihnen eine andere, weniger schmerzhafte, aber für die Zukunft des Landes verhängnisvolle Politik lieber sei.

Für die Neuwahlen im September 2005 nominierte die CDU/CSU zum ersten Mal in der deutschen Geschichte eine Frau als Kanzlerkandidatin: Angela Merkel. Die Politikerin aus dem Osten Deutschlands hatte sich gegen ihre innerparteilichen Konkurrenten durchgesetzt und sollte nun die Unionsparteien zum Sieg führen.

Im linken politischen Spektrum formierte sich in diesen Wochen eine neue Partei. Die treibende Kraft war dabei Oskar Lafontaine, der ehemalige SPD-Vorsitzende. Er war einer der schärfsten Kritiker der rot-grünen Politik und hatte am 24. Mai 2005 seinen Austritt aus der SPD bekannt gegeben. Von diesem Tag an arbeitete er für ein Bündnis der WASG mit der »Partei des Demokratischen Sozialismus« (PDS), die nach dem Ende der DDR aus der SED hervorgegangen und in den neuen Bundesländern stark vertreten war. Nach langen Verhandlungen wurde die Vereinigung unter dem Namen »Die Linkspartei.PDS« besiegelt. Mit den Spitzenkandidaten Gregor Gysi und Oskar Lafontaine zog die neue Partei in den Wahlkampf und erhielt auf Anhieb 8,7 % der Wählerstimmen. Weil diese Stimmen vor allem aus dem rot-grünen Lager kamen, verlor die Koalition aus SPD und Grünen ihre Mehrheit. Aber auch die Unionsparteien schnitten schlechter ab als erwartet, sodass es zu einer Regierungsübernahme nicht reichte, auch nicht zusammen mit der FDP. Und da die beiden großen Parteien eine Zusammenarbeit mit der Linkspartei ablehnten, blieb nur die ungeliebte große Koalition als Ausweg. Noch am Wahlabend gab es Diskussionen darüber, wer die neue Regierung führen solle. Schröder behauptete, die Wähler hätten CDU/CSU und FDP keine Mehrheit verschafft, also sei er auch nicht abgewählt und bleibe Bundeskanzler. Merkel wies darauf hin, dass traditionsgemäß die stärkste Partei den Kanzler stelle, deswegen sei sie nun am Zug. Nach einigem Hin und Her setzte sie sich schließlich durch und wurde am 22. November 2005 vom Bundestag zur Bundeskanzlerin gewählt. Damit war Angela Merkel nach sieben Männern die erste Frau im wichtigsten politischen Amt Deutschlands.

Im Wesentlichen hielt die große Koalition an der Agenda 2010 fest. In ihrer Regierungserklärung sagte die Bundeskanzlerin dazu: »Ich möchte Kanzler Schröder ganz persönlich danken, dass er mit der Agenda 2010 mutig und entschlossen eine Tür aufgestoßen hat, unsere Sozialsysteme an die neue Zeit anzupassen.« Daran werde auch ihre Regierung weiterarbeiten. Außerdem sei ein wichtiges Ziel, die Neuverschuldung zu reduzieren. Deswegen müssten weiter Leistungen gestrichen und die Einnahmen des Staates gesteigert werden. Dafür werde die Mehrwertsteuer am 1. Januar 2007 von 16 % auf 19 % erhöht.

Die Kritiker dieser Politik sagten, statt zu sparen, würde die neue Regierung den Bürgern immer tiefer in die Taschen greifen. Das sei der falsche Weg. Anfangs verteidigten die Koalitionspolitiker den gemeinsamen Kurs. Doch in der zweiten Hälfte der Legislaturperiode schienen die Gemeinsamkeiten mehr und mehr aufgebraucht. Nicht wenige Politiker beider Parteien redeten unverhohlen vom Ende der Koalition.

Die Sozialdemokraten litten besonders darunter, dass von Erfolgen etwa auf dem Arbeitsmarkt vorwiegend die Bundeskanzlerin und ihre Partei profitierten; die Umfragewerte der SPD kannten nur noch eine Richtung: abwärts. Im September 2008 erreichte die SPD mit rund 25 % ihren bisher tiefsten Wert. Gleichzeitig kam »Die Linke«, wie sich das Bündnis aus WASG und Linkspartei.PDS seit dem 16. Juni 2007 nennt, auf 14 % und war damit vor der FDP und den Grünen die drittstärkste Partei im Land. Damit hat sich die Parteienlandschaft innerhalb kurzer Zeit grundlegend verändert.

Die letzte große Veränderung der Machtverhältnisse brachte die Bundestagswahl im Herbst 2009. Die Wähler erteilten der großen Koalition von CDU/CSU und SPD eine Absage. Die SPD erreichte nur noch 23% der Stimmen und musste nach elf Regierungsjahren wieder in die Opposition. CDU/CSU und FDP bildeten die neue Regierung, Angela Merkel wurde als Bundeskanzlerin wiedergewählt.

Neben der Schwarz-Gelben Koalition im Bund gab und gibt es in den Ländern ganz unterschiedliche Bündnisse: Sie reichen von Rot-Rot in Berlin und Brandenburg über Schwarz-(SPD) Rot in Thüringen und Schwarz-Grün in Hamburg bis zu Schwarz-Gelb-Grün im Saarland. Politisch ist Deutschland im neuen Jahrtausend also bunter geworden.

Hindenburg, Paul von	110, 112, 118, 127, 129, 131
Hitler, Adolf	119 f., 122 ff.
Hohenzollern	61, 69, 114
Honecker, Erich	176 f.
Hussein, Saddam	192
Hutten, Ulrich von	46
Kant, Immanuel	65
Karl V.	50, 55
Karl der Große	19 ff.
Karolinger	18, 22
Kohl, Helmut	180, 183, 190
Köhler, Horst	196
Lafontaine, Oskar	197
Lenin	110, 111
Liebknecht, Karl	98, 112, 114 f.
List, Friedrich	84
Ludendorff, Erich	110, 112 f., 120 f.
Ludwig XIV.	59 ff.
Luther, Martin	47 ff.
Luxemburg, Rosa	112, 115
Marshall, George	152 f.
Martell, Karl	17, 18
Marx, Karl	87
Merkel, Angela	197, 198
Merowinger	17 f.
Milosevic, Slobodan	190
Otto I.	23 f., 33
Ottokar II.	39 f.
Ottonen	33
Pieck, Wilhelm	164
Pippin	18

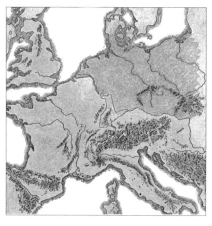

**Germanien
im 1. Jahrhundert n. Chr.
(gelb: das Römische Reich)**

**Das Frankenreich
um 800**

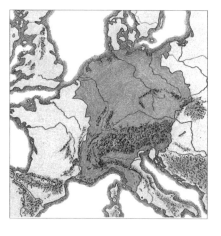

**Das Heilige Römische Reich
um 1250**

**Das Deutsche Reich
1871**

1949: zwei deutsche Staaten

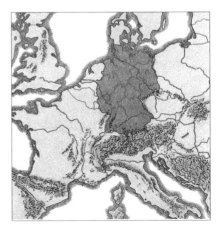

**Deutschland
nach der Widervereinigung**

Manfred Mai

Manfred Mai, geboren 1949, gehört zu den bekanntesten deutschen Kinder- und Jugendbuchautoren. Er
hat Geschichte und Deutsch studiert und unterrichtet,
bevor er zu schreiben begann. Heute lebt er als freier
Schriftsteller in seinem Heimatort Winterlingen auf
der Schwäbischen Alb. Bei Beltz & Gelberg erschienen
auch sein *Lesebuch zur deutschen Geschichte* und
die *Geschichte der deutschen Literatur*.
Mehr Informationen über den Autor und seine
Bücher unter www.manfred-mai.de